U0944035

萧乾 主编

新编文史笔记丛书

第三辑

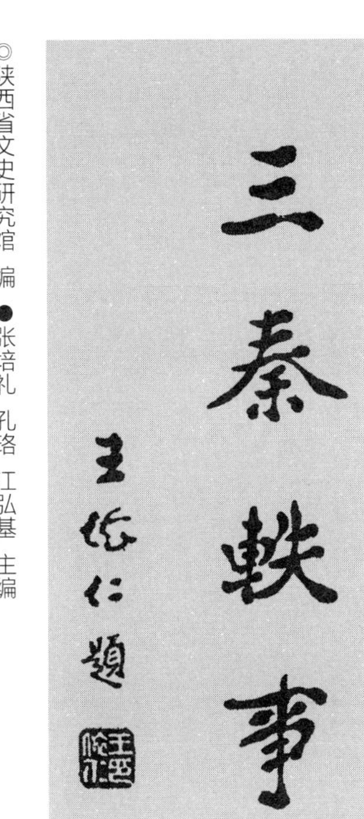

◎陕西省文史研究馆 编
●张培礼 孔珞 江弘基 主编

目录

人物春秋

辛亥前后

宦海沉浮

抗战纪闻

名人轶事

文苑拾遗

艺海钩沉

书坛画苑

文物古迹

风土杂异

旧事新录

序

萧乾

读书界向来对野史有所偏爱。野史大多是信手拈来的历史片断,且往往出自亲历者之手。文直事核,不虚美,不隐恶,而文笔潇洒自如,意味隽永,自然朴实,篇幅不长;可以摊开来仔细咀嚼,也可供茶余酒后、行旅倥偬中,随手浏览。

鲁迅在《华盖集》中,曾几次对野史表示过好感。在《忽然想到》一文中写道:"历史上都写着中国的灵魂,指示着将来的命运,只因为涂饰太厚,废话太多,所以很不容易察出底细来。正如通过密叶投射在莓苔上面的月光,只看见点点碎影。但如看野史和杂记,可更容易了然了,因为他们究竟不必太摆史官的架子。”又在同书《这个与那个》一文中说:“野史和杂说自然也免不了有讹传,挟恩怨,但看往事却可以较分明,因为它究竟不像正史那样地装腔作势。”

全国文史研究馆所编的《新编文史笔记》丛书,内容也属野史杂说的范畴。我们希望这些以亲闻、亲见、亲历为主的轶事掌故、琐闻杂记,写人、事而摒除误会曲解,述历史而符合真实面目。

作为一种短隽有味,文字清奇而又雅俗共赏的文学体裁,笔记在中国具有悠久的传统。它始自魏晋,盛行于宋代。南朝刘义庆的《世说新语》,北宋沈括的《梦溪笔谈》,南宋陆游的《老学庵笔记》,明朝张岱的《陶庵梦忆》,清朝纪昀的《阅微草堂笔记》以及20世纪30年代初丰子恺的《缘缘堂随笔》,都是文学史上的奇葩。然而,近年来笔记乏人问津。因此,我们出这一套书,也包含着挽回颓势之意。

全国三十二所文史研究馆拥有雄厚的稿源,两千多位馆员和各馆联系的社会人士,都是丛书的撰稿人。他们都是文史界的耆宿,见多识广,阅历丰富:有的反对过帝制,有的在“五四”运动中扛过大旗,他们目睹过军阀的横行霸道,也经历过艰苦卓绝的八年抗战。这些历尽沧桑的饱学之士,他们的所见所闻,都是弥足珍贵的史料。

本丛书分辑出版，分别由各地文史研究馆编辑，内容亦以本乡本土为主。因此，各册势必具有浓厚的地方色彩。

本着笔记固有的传统，所收各文题材不嫌庞杂。举凡与文史有关的政治、经济、军事、文化、社会等方面，或记闻见杂事，或叙往昔交游，或忆社会百态，均在搜罗之列。时间跨度则自清末以迄1949年为止。这正是中华民族从闭关自守到走向世界，从落后羸弱到奋发图强，是天翻地覆、风起云涌的大半个世纪。其间，发生过多少可歌可泣的事迹，涌现过多少杰出的人物。以这一时间跨度为背景题材写出的笔记作品，必然是内容最为丰厚的。

在选稿标准上，我们坚持史料一定要真，内容要新；既要防止以讹传讹，也力避炒冷饭。在写法上务求短小精悍、生动活泼。每篇以千字为度，希望借此在文风方面，提倡一下简约。在版式上，则想做到既利于阅读，又便于携带。

恳切希望文史界方家及广大读者，不吝赐正。

刘志丹改造哥老会

张　光

1928年5月，刘志丹领导的渭华起义失败后，被党任命为陕北军委书记。这年8月，他秘密回到陕北老家保安(今志丹县)，重新组织革命力量。

保安县西部和甘肃、宁夏接壤，是一片森林，人烟稀少，古来就是三不管地区。旧社会被官府、恶霸地主捉拿的人，还有散兵游勇、土匪等都来到这儿，有六七百人，还有枪支。刘志丹想，把这一批力量团结起来，对革命有利。

他打听到，"金鼎大爷"马锡五是当地人，念过书，有心报国，但无门路，便参加了哥老会，要去甘肃庆阳的旧军队做事。经亲友介绍，刘志丹认识了他，向他宣传革命思想。马锡五一听，情投意合，愿意走革命的路。刘志丹说："我想把哥老会的人都团结过来，一起闹革命。"马锡五说："那我庆阳也不去了，跟你干。"

经过马锡五介绍，刘志丹认识了这地方哥老会大头目、人称"龙头大爷"的马海旺。经过多次交谈，马海旺说："我是想打富济贫，但没有你们的主张和办法高明。刘先生你能入我们哥老会就好了。把咱的人给指教指教。"刘志丹说："只要你们不嫌弃，小弟愿意入会。"马锡五说："会里规矩多，怕你们新式人不习惯。"刘志丹说："没关系，我能习惯。"

选好了日子，举行了仪式，刘志丹也三拜九叩首，入会了。马海旺在众头目面前，宣布刘志丹是仅次于他的"西北行义智大爷"，要求大家多听他的指导。

此后，刘志丹即以"智大爷"身份，广泛地和哥老会各堂主(各乡的头领)联系，作朋友，通过他们向会众宣传革命道理，对损害群众利益的人进行教育，把坏人清除掉。又吸收了马锡五等六人加入了共产党。马海旺很讲义气，他说："我尽力帮助共产党。"刘志丹组织起革命武装后，这里的哥老会有二百多人参加了。在游击战中，马海旺帮助游击队掩护伤员，送情报，打仗时还派人支援。刘志丹以后常对人说："马大爷是我们忠实的朋友。"马海旺后来成为陕甘宁边区劳动模范，毛主席曾接见过他。参加红军的哥老会成员有二十几位，后来都成了我党县团级以上干部。马锡五后来是陕甘宁边区最高法院院长，建国后任最高法院副院长。

周恩来骑马去谈判

姜永明

1936年“西安事变”爆发后，党中央、毛主席尚在保安(今志丹县)。张、杨两位将军派飞机来接中共代表团。但保安地形复杂，山高川窄，飞机无法着陆，只能停在延安。

事变后的第二日，雪花纷飞，山野一片银白，在周恩来的一再要求下，党中央、毛主席终于同意了他骑马去延安，然后转乘张、杨派来的飞机，飞赴西安与蒋介石谈判。

上午八时许，毛泽东、朱德等中央负责人陪周恩来从城里向延河边走去。

周恩来及随行代表团成员博古、罗瑞卿、李克农、童小鹏等人与毛泽东、朱德等一一握手道别。周恩来环顾雪野，饶有风趣地对送行的战友们说：“主席有一句诗‘雪里行军情更迫’，我们就是雪里行军情更迫啊!”他迎着纷纷大雪，率先纵马南行。

雷殛县长之后

张石秋

1942年春季，陕甘宁边区政府在延安召集各县负责人开会，暴雨突降。一个县长外出，被迎头一声暴雷击中死了。此事很快传遍山沟农村，有人议论："雷打死了县长，为什么不打领头的……"不久，这话传到毛泽东主席那里。有的工作人员认为这是反动言论，毛泽东同志却只是沉思，不支持所谓反动言论的看法。过了一段时间，在一次干部会上毛泽东同志讲了他的看法："他们为什么想雷打死领头的？那是指的我呵！我究竟做了什么？是公粮增加了，加重了他们的负担，他们不满意了。"他号召边区和解放区机关、学校、部队在原来开荒生产解决部分困难的基础上扩大生产，尽可能实行生产自给，提出"发展生产，保障供给"、"自己动手，丰衣足食"的口号，以发展生产，减轻人民的负担。

抗战初期，1937年至1939年边区农民的公粮是比较轻的。1940年虽有所增加，也只9万石。1940年到1941年，由于日本侵略军更加猖狂进攻，国民党又制造了两次反共摩擦，停发八路军军饷，对边区实行经济封锁，当时吃饭、穿衣、用纸都非常困难。1941年公粮增加为20万石，农民有怨言了。在毛泽东同志和党中央号召下，边区开展了热火朝天的大生产运动，中央领导同志带头开荒。毛泽东同志有自己种的菜地，周恩来同志是纺线能手，王震同志领导三五九旅在南泥湾垦荒，开始在延安第一次种水稻，除自给外，还向政府交公粮。机关、学校普遍上山垦荒种小米，有些科室干部除参加单位集体种粮外，还种了自食的西红柿。边区政府兴办了一批自给性的工业。大生产运动使极端困难的供给问题得到了解决，也减轻了人民的负担。1943年农民交纳的公粮由上年的20万石减为16万石。

刘志丹办学

张　光

陕甘边革命政府一建立，刘志丹就向陕甘边革命政府主席习仲勋提出，应该快办学校。

一些同志听了说："现在老百姓吃穿都顾不上，还顾得上上学？"有的说："哪里有老师？"刘志丹听后，向大家解释说："革命政府三年不向老百姓要公粮，现在我们还要把土豪劣绅的粮分给没粮户，吃饭不成问题。老师吗，我瞅了一位，就是下川的那位贺老先生。"大家说："那是老封建。"刘志丹说："我了解他为人正派，有学问。现在，能教娃识字就行了，先念《百家姓》。”

刘志丹提请政府任命红军中一位知识分子蔡子伟为教育委员（蔡以后在延安大学任副教育长，建国后任国家农业部副部长），并叫他编小学课本。不久，第一所小学就建立了起来，有学生四十多人。后来各乡也都办了学校。这些学校的学生后来都成了军队和国家的干部。这些同志回忆起来说：“刘军长看得远，要不是他，咱们那山屹崂还能出这么多人才吗？”

毛泽东题词

鱼 讯

1937年1月至3月，我在延安抗日军政大学第四大队学习，听了不少报告，但我最爱听的还是毛主席作的《历史唯物主义、辩证唯物主义》报告提纲(后发表时改为《实践论》、《矛盾论》)。他的报告深入浅出，每讲一个问题都要举很多事例，使每个学员都能听懂。他平易近人，谈笑风生。3月12日下午，他讲完课，已是下午六点钟了，他由大队长罗炳辉同志陪同，检查同学们的伙食情况。学生们吃饭都在露天院落，他每到一组都要停下看看饭菜，问长问短。同学们看到毛主席来检查伙食，真是欣喜若狂，不少同学请毛主席签名题词留念。我早把日记本准备好，挤进人群，捧到主席面前。我的愿望实现了，毛主席在我的日记本上写了“艰苦奋斗”四个字，签名“毛泽东”。我高兴得跳了起来。之后，我把它保存了多少年，视如瑰宝，后参加抗日战争、解放战争和四十年的社会主义革命与建设，不论客观情况如何变化，但毛主席题的四个字却牢牢地记在我的脑海里。

毛主席寄来五元钱

张石秋

1940年，国民党对陕甘宁边区实行经济封锁，延安的生活特别艰苦。那时来延安的学生一般都是青年，吃小米饭和自己种的菜，早晚歌声盈野，十分愉快。但携带婴儿的女同志可就困难了。鲁迅艺术学院(后改名为鲁迅艺术文学院)文学系的梁彦，是从东北流亡到关内的学生，与一剧团女演员结婚，生了小孩，母乳不足，襁褓衣被都缺乏。学院虽有些照顾补助，毕竟有限。他有时眉头紧皱，抱起小娃就发愁。有一天，他忽然给毛泽东同志写信诉苦。那时在边区寄信，甚至寄到其他抗日根据地都非常容易，用旧报纸糊成个信封，写上收信人地址和姓名，不贴邮票，不付一分邮资，交收发室，信就迅速寄去了，而且不会失误。

梁彦的信发出不久，一个傍晚时分，他从传达室信箱取信回来，兴奋得眼泪几乎流出来，一头闯进我的窑洞就喊："咳，毛主席来信啦……看，还附寄五块钱！……要我好好带孩子，还说那是革命后代哩！"我捶了他一拳："你这家伙真幸运！"五元钱(是陕甘宁边区发行的光华票)现在看为数不多，可那时并不简单。边区没有工资，除伙食服装供给外(鞋多半是麻鞋、草鞋，也有农村妇女送的军鞋)，每人每月只发一元津贴，毛主席也只有五元津贴。共产党中央重视文艺和文艺人才，鲁艺学员优待每月津贴一元五角，教员三元。当时物价便宜，一角钱可以买五个鸡蛋。

刘志丹竞选民团团总

张培礼

1943年秋，我因公来到志丹县的永宁乡，早期跟随刘志丹干革命的臧联云老汉向我讲了刘志丹在永宁乡闹革命的许多事，至今记忆犹新。1928年，刘志丹在保安(今陕西志丹县)秘密建立了中共永宁山党支部并任党支部书记。党支部根据保安地区敌我斗争形势，决定在县境内同地方反动势力开展合法斗争，积极争取地方武装"民团"。永宁寨民团的团总叫路登高，此人平日欺压百姓，无恶不作，引起当地群众极大愤恨。他凭借永宁山三面深沟，悬崖石壁，一面下有洛河，寨垒高墙，只有一条路可出入永宁寨，占山据守，与民为敌。刘志丹深入发动群众，把路登高的条条罪行，由四乡父老签名上告到保安县政府，要求罢免路登高。县长贺明堂(榆林人，较开明)同意用投票方式改选民团团总。路登高知道后，四处活动，多方贿通地方绅士、地主，并收买一些打手支持他当选。刘志丹把路登高的贿选活动在农民和学生中揭露，发动群众，参加竞选。经过针锋相对的斗争，得民心的刘志丹当选为民团团总。永宁寨的民团实力，掌握在以刘志丹为首的中共永宁山党支部手中。以这支民团武装力量为基础，扩充队伍，到甘肃等地购买枪支，维护地方治安，打击土豪劣绅，为群众谋福利，博得了广大农民群众的支持和拥护。

臧联云老汉当年曾参加竞选团总的投票，并说那次竞选“我投了刘志丹的票”。

彭总在乾县

胡　权

1949 年春，解放战争势如破竹，彭德怀副总司令率领一野指战员，挺进大西北，路经乾县时，司令部设在长留乡秦家庄，为时两个多月。

至今，秦家庄群众还传颂着彭总爱民的许多动人故事。

一

彭总当时居住在秦家庄宋志兴家里。宋志兴的祖母那时六十多岁,眼睛不好使。彭总刚到宋家,就遇到老人下台阶时绊了一跤,他急忙上去把老人扶起,用手打掉老人身上的尘土,问明老人要上茅厕,他就把老人扶到茅厕门口,等老人从里面出来,又把老人扶到住房。老人感动地说:"我老婆子活了六十多岁,见过白朗的兵、二〇三师(国民党军)的兵、马(步芳)家的兵,还没见过这样好的兵。你们是哪家的兵?"彭总笑着说:"大娘,我们是人民子弟兵！专为穷苦老百姓除害,专打马(步芳)家兵,让人民当家作主,人人都过上好日子。"老人听后高兴地点着头说:"好兵！好兵！"

二

当时,宋志兴家道贫寒,他妈又旧病复发,愁得他父亲没办法,想卖掉院里的那棵槐树。他父亲砍树时,彭总看见了,急忙拦住老汉,问明了情况,立即吩咐军医给宋志兴的妈看病。接着他又拉住老汉的手说:"老乡,树可不能挖,留下它,停两年给你家做辆大车箱。"老汉说:"这时节还说[illegible]话呢！这样的日子,唉,不知能活几天呢。"彭总笑了笑说:"马上就要解放了,这天下就成了人民的天下，就没有啥拉丁、派款子的事了。要多养猪，多积肥，多打粮食，还要做些家庭生意。”说着，他用手亲切地拍着老汉的肩膀，语重心长地说：“老乡，要精心过日子。”老汉听罢，一把拉住彭总的手感动地说：“好兄弟，你说的真是我们庄稼人的心里话，我们早就盼着这一天了！”

三

宋志兴家贫，做卖铲糕的小生意。他爸叫他端一碗给彭总送去。彭总吃完后夸赞说：“好手艺，做得又香又甜。”说着就把一张票子塞在宋志兴手里。宋志兴天真地说：“您不是说军民一家人吗？吃铲糕咋还给钱？”彭总笑了笑，双手拉起他的膀子转了好几个圈说：“小鬼，你可知道人民军队有规矩吗？”宋志兴问：“有啥规矩？”彭总说：“嘿！规矩可多得很，吃了老百姓的东西不给钱，可要受处罚哩！你不收这钱，我下次再也不敢吃你家的铲糕了。哈哈哈……你看这规矩咋个样呢？”宋志兴没办法，只好收下彭总那碗铲糕钱。

李先念深夜渡渭河

张肯堂

1946年9月下旬，李先念将军由商洛山区返回延安途中，由临潼南阳村渡渭河北上时，国民党军队在渭河增加岗哨，封锁了渡口。如何冲过被封锁的渡口呢?有个叫胡德胜的船工，常在胡家窑摆渡，他思想进步，和中共地下党员尹省三是亲戚，经常有联系。为了保证李先念等同志安全，他们做好了渡河准备。约定晚上十点，大家到渭河边。这时有几个地下党员在河边等着，胡德胜老汉已经挟篙站在船头。船小水急，大家担心地问："水这么急，能过得去吗?"胡德胜满怀信心地说："送咱们的人，不好过也得过，我一定安全把大家渡过去。"船开后，胡低声问道："听说新四军的李先念快来啦，怎么还不见他来?"任质斌(新四军五师政委)告诉他："快来啦，新四军来了，你就能放心撑船了。"说话间李先念同志帮着船工摇桨。夜静更深，水急风寒，船平稳地驶向对岸。李先念亲切地握着胡德胜的手说："我们平安过了河，谢谢你！你不是说李先念的部队要来了吗?等着吧，很快就会来的。"胡德胜的脸上充满了喜悦和希望。

“王旅长当了推销员”

姜永明

1941年3月，为了解决八路军部队穿衣问题，三五九旅旅长王震派人到山西敌占区买回一架破旧的织布机，在绥德一座破窑洞里办起了第一个纺织厂。王震亲自为该厂起了一个“大光纺织厂”的厂名，意思是要大放光明。又手书一联：

动手动脚，自给自足；

同心同德，爱国爱民。

1943年，大光纺织厂由一人发展到八百余人，机器由一台发展到有铁机四十五台，木机六十六台，纺毛机两台。布匹品种、花色达二百多种，名列边区三个先进厂之首。

有一次，王震旅长陪边区政府的几位负责人，到“大光商店”参观。他指着各种布料，笑着说：“看!这就是我们大光纺织厂的产品，花色全，质地好，价钱又便宜！”接着，他又热心地向参观者一一介绍，什么样的花布适合妇女、娃娃穿，什么样的布结实耐用，适合男子做衣服……参观者颔首称是。有人风趣地说：“王旅长当了推销员了。”

李敷仁咸阳原遇难脱险

陈崇凯

1946年“五一”节中午,《民众导报》主编、民盟西北总支部重要负责人李敷仁,在西安被国民党特务绑架,又被暗杀于咸阳原头。因枪击未死,被我村乡亲营救。事后公布的一些材料,与营救者所述之事实多有出入或疏漏。谨将当事人生前多次口述之事实简述如下,以资参证。

李敷仁被暗杀的准确地点,是在陈老户寨村西南方抗战时所挖的交通沟(当地叫战壕)内,在今西兰、咸宋公路交汇处偏西附近(即今氮肥厂正北)。首先发现的是我家(户主陈寿昌)雇工路廷发。他正在土冢南耱地,误以为是土匪绑票杀人,吓得放下耱回村喊人。赶来营救的是我家后对门的王喜德和我二叔陈景义。王喜德和陈景义下到壕沟,看到李受伤未死,即解下五六尺长的腰带为李包扎。这时,我五爷、聚泉乡乡长陈信从县城办事回村,听说后赶到壕边一看,发现是他的老同学李敷仁。他敬重李的为人,也知道他是《民众导报》主编,立即主张送李到县里医治。一些人自告奋勇到北杜镇报信。李敷仁要求送他回北杜镇老家。我五爷立即让乡亲们用我家的耱把李抬到村南城门外照壁旁,一面叫我二叔回家取来被褥、枕头、绳索等，迅速将糖收拾成简易担架。为防止意外，我五爷让李喝了些水后，劝阻住众多要求护送的乡亲，指派陈姓本家陈景义、陈生发、陈振海及客户王喜德，还有陈家女婿、石羊庙的苏文会轮流抬送，直接穿城(当时我村为城堡式，有南北二门)出北门，过壕翻沟由官道北上。出村不远，和李有深交的南高乡财粮员赵百平骑车赶到，让一乡丁速回北杜镇报信，另一乡丁随担架护送。担架途经西石村、石羊庙、赵家、窦家、卓邢家、成魏村，一路小跑未停。只是在经过石羊庙时，苏文会顺路回家取了些蒸馍，让又累又饿的几个人边吃边走。终于在傍晚时赶到北杜镇，由等候在镇南门外的李敷仁之弟李文友等人接回家中。李敷仁后由中共地下党送延安医治。

“我们自己的国旗”

陈海涵

1948年，瓦子街战役之后，西北野战军在彭德怀同志指挥下，乘胜进攻洛川之敌。这期间，有一件事特别令人难忘：当时中国人民政治协商会议给西北野战军发下来三种国旗图样，征求前线指挥员对即将成立的中华人民共和国国旗的意见。彭总把三种国旗图样交我们大家讨论。第一种是红底,下方三条曲线(象征黄河、长江、珠江),上方嵌着五颗黄星;第二种是五颗黄星围着铁锤镰刀;第三种就是现在的国旗图样。

彭总对这件事非常重视，指示我们利用战斗空隙进行讨论。我们就在阵地上、战壕里、枪炮声中,讨论这三种国旗图样。讨论会开得非常热烈。大家不光就图样各抒己见,还谈了不少动人的感想。有的说:“红军时期就把犁耙、铁锤、镰刀标在旗上。现在的图样,也有工农大众的标志，可见这是我们自己的国家，我们自己的国旗。”有的说:“为了决定一面国旗的图样,还专门到前沿阵地征求每一个战士的意见，我们可真是国家的主人啊！”有的在讨论会上无比兴奋地说:“征求对国旗图样的意见，说明新中国很快就要成立了。等新中国成立的那一天,我们一定握着枪,戴着立功奖章,在国旗下好好照一张相。”不少老战士,还以丰富的想像,描述着全国解放,新中国成立后的美好前景,憧憬着未来的幸福生活……

讨论会越开越红火,它像一股春风,吹遍每一道战壕,每一个掩体;又像是激昂的战鼓擂在全军每一位将士的胸中。部队的士气,顿时无比高昂。指挥员们正是带着这样的心情投入了攻打洛川城的战斗。然而,有不少战士,怀着美好憧憬，在激烈的战斗中壮烈地献出了自己的生命,倒在前沿阵地的血泊之中。后来,彭总教导我们这些幸存者，千万不要忘记为新中国诞生而英勇牺牲的战友们。

秦陇复汉军的炸弹队

王 愚

先父王一山，长期担任杨虎城将军统领的十七路军的参谋长，震惊中外的西安事变时，任陕西省政府代理主席。他十二岁时，只身离开地处偏僻山区的小县城——陕西旬阳县，跑到西安，考进了当时在全国仅有数处的陆军小学堂。1907年，他以优异成绩被保送进入陕西陆军中学堂。这时他目睹清朝政府的腐败，受陕西同盟会创始人之一的同乡钱鼎的影响，加入同盟会。

1911年10月10日武昌起义爆发，同年10月22日陕西革命党人起义响应。在这之前，先父奉同盟会的命令,组织学生军。他便与同学宋向辰密议，在陕西各学堂之间串联，以陆军小学、中学为主,组织了数百人的学生军,但武器弹药一时难以凑齐。他们几经筹划,以在校学到的理化知识,自制土炸弹,作为武器。计划确定后,便分头以做实验为名购置化学药品和设备,秘密制造起来。终于在10月22日前把学生军武装了起来,由宋向辰任队长,先父任副队长。中国著名的文学社团“创造社”的元老之一、著名作家郑伯奇,当时是陕西高等学堂学生,也是这支队伍中的一员。

这支学生军虽然武器简陋,却士气高昂,面对清朝政府军队洋枪洋炮敢于硬打硬拼，所向披靡,革命党人称之为炸弹队。这个队由于战绩卓著,被委以守卫藩库(清朝政府的金库)的重任。起义成功后,藩库所存大批银两,竟无一丢失,为后来成立军政府奠定了经济基础。起义成功后,炸弹队曾驰援乾州,与反扑包围西安的清军奋力血战,给清军以沉重的打击。

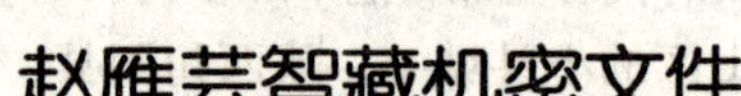

赵雁芸智藏机密文件

张应超

1905年冬，同盟会陕西支部长井勿幕身负孙中山先生的重要使命，回陕组织领导反清斗争。

他先从自己的故乡蒲城县开始,在其胞兄、同盟会会员井岳秀的帮助下开展工作。蒲城县教育分会的职员和县立高等小学堂的师生绝大部分都加入了同盟会,并和当地反动势力进行斗争,使蒲城县成为同盟会在陕西最活跃的地区之一。

井勿幕等同盟会员在蒲城县的活动,引起了以县长李体仁为首的当地反动势力的极端仇视。在陕西反动当局的支持下,李体仁和劣绅原烈等人经过周密策划,于1908年10月16日率衙役及地痞二百多人,捣毁了县教育分会和县立高等小学堂学生办的自治公学,逮捕了县教育分会职员和学生四十余人,并对井勿幕家进行查抄,妄图搜出同盟会的机密文件,但一无所获。加之被捕的人坚贞不屈,无人招供,搞得清吏十分狼狈。不久,同盟会会员、县立高小学生原斯健又因伤重身亡,陕西数十县的学校接连罢课。在国内外进步力量的支持下,清廷只好把李体仁撤职,原烈等劣绅也分别受到处分,这场斗争就是轰动一时的"蒲案"。

为什么没有在井勿幕家搜出同盟会的文件呢?是李体仁等人估计错误,还是文件已经转移出井家?都不是。原来抄井家时,井勿幕、井岳秀均不在家。井岳秀的妻子赵雁芸急中生智,以很快的速度把这些文件用油纸包起来,密封在一个瓦罐中,埋在院子正在盛开的菊花下,上面浇上水,使外人看不出一点破绽。刚埋好,一群如狼似虎的衙役痞棍来到井家，赵雁芸装成愚昧糊涂的家庭妇女模样，一问三不知。衙役们翻箱倒柜，连屋顶、椽眼、铺地砖、水井都进行了搜查，却万万没想到文件会埋在院中的菊花下面。这些文件包括陕西同盟会会员名单、通讯地址及井勿幕、井岳秀与国内外同盟会会员的来往书信等。由于赵雁芸的机智勇敢，才使同盟会革命党人避免了一场大灾难。

李仪祉质问王御史

原志军

李仪祉(1882—1938)，著名水利学家，原名协，字宜之，后改为仪祉，陕西蒲城县富原村人。早年曾两度留学德国，先攻土木工程，后习水利。回国后，毕生献身水利事业，沟洫入渠，灌地三百万亩，旱涝保收，遗泽关中，人民钦仰，目为“二郎神”，累世不忘其德。

清光绪三十二年(1906)，即李仪祉与胞兄约祉考入北京京师大学堂之次年，美国虐待华工和华侨。国人气愤不平，因有抵制美货之风潮。有御史王步瀛(陕西眉县人)者，却上奏清廷要求下令禁止。仪祉先生爱国心切，乃以陕西同学会名义写信，向王提出质问：“夫国际交涉，彼此往来，皆以平等，而美人独待我民以苛刻，奴隶处之,木屋囚之,欲迫之死,是可忍孰不可忍!设先生之子若弟,被此苛法,先生亦将忍之乎?不忍己之子若弟,而忍于同胞国民,想先生不若是之薄也!又闻先生建言加倡起人以罪名,果若是,则一网打尽之策,又见于今日……天下事以千万人之力成之而不足,以一人败之而有余,综观历史,自古如此,但不意此事乃见于先生,先生不为全国人民计,独不为一身名誉计乎?”

白毓庚怒打清朝驻日公使

张应超

白毓庚,字秋陔,陕西长安县人,清末留学日本,入振武学校学习军事。因怒打清朝驻日公使,曾在中国留日学生中引起轰动。

1905年8月,同盟会在日本成立,此后,中国留日学生反清斗争大大增强。清政府对此十分恐慌,乃勾结日本政府,对中国留学生的革命活动进行阻挠和镇压。同年11月,日本文部省发布了《取缔清韩留日学生规则》,引起了我国留日学生的强烈不满,纷纷停课罢学,奋起反抗。文武学界又推举胡汉民与白毓庚(当时他只是个一般的留学生)为代表,前去与清朝驻日公使杨枢交涉,要求他出面,使日本政府收回成命。但是,老官僚杨枢根本不理会留学生的正义要求，反而摆出一副臭架子，大肆斥责学生代表。白毓庚大为愤怒，当场打了杨枢几个响亮的耳光。在清王朝的专制统治下，一个学生敢打公使，是会有杀头危险的。白毓庚为了民族尊严和反清革命大业，把个人生死置之度外，他的行动使我国留日学生扬眉吐气。孙中山得知这个消息，非常重视，当即派同盟会骨干人物景梅九等人和白毓庚联系，并介绍他加入了同盟会。

1906 年秋，同盟会陕西分会在日本东京成立，白毓庚当选为第一任会长。

翰林学士赞襄共和

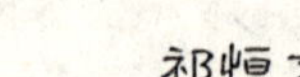

清光绪朝翰林院编修、山东道监察御史宋伯鲁，在戊戌维新运动中，因累上奏章，支持康梁变法，被慈禧太后革职。

宋伯鲁于 1902 年回到陕西家乡，蛰居经年。辛亥革命起，宋静观时局，同情革命。1911 年 10 月 22 日西安光复后，以张云山为首的哥老会首领们，自恃西安起义有功，争地位，闹独立，在酝酿成立陕西军政府过程中，在领导人选安排上，同以张凤翙为首的秦陇复汉军产生分歧。张云山感情用事，居然揭起“洪汉军”旗帜，另立山头，给取得初步胜利的西安罩上了阴影，人心浮动，舆论哗然。

张云山虽系会党首领，但很器重知识分子，对才识并具的宋伯鲁十分仰慕。为了请宋出山参与戎机，“筹划精神”，张特意遣使赴礼泉将宋请到军中，尊为上宾，并破例将其任命为“洪汉军”参谋长。但老成持重的宋伯鲁并未被个人的尊荣所陶醉，他申明大义，以和为贵，同郭希仁等革命党人一起，对洪汉、复汉两军纷争从中斡旋，进行调解，使张云山等很快撤去“洪汉军”旗号，同秦陇复汉军言归于好，顺利组建了秦陇复汉军军政府。哥老会首领得到妥善安置，张云山被任命为军政府兵马总都督。此后，在西路战役和保卫西安起义成果的战斗中，张云山充分施展其军事才能，为革命作出了突出贡献。

辛亥革命前后的李仲特

沈　楚

清末，我省有一位数学家，名叫李仲特。他少年时期就立志读书，经刻苦自学，潜心钻研，掌握了几何、代数、微积分等科学知识，撰写了《开方数理图说》、《级数比类》等论著。又学习测绘，曾绘制较精确的《秦晋豫三省黄河图》，还参加过川汉铁路的测绘工作。在辛亥革命前夕，他已是著名的学者了。

1905年冬，井勿幕奉孙中山之命回陕发展同盟会会员。翌年，李仲特率先加入。不久，与焦子敬、李桐轩在西安创办健本学堂，招收有志青年，培养革命人才。1908年秋，他被推举为陕西同盟会分会第一任会长。这年重阳节，他和井勿幕等二十余人分别化装去公祭"黄祖"(黄帝)，祭文为："誓共驱鞑虏，光复故物，扫除专制政体，建立共和国体，共赴国难，艰巨不辞。"

辛亥革命后，李仲特目睹军阀争权夺利，兵连祸结，生灵涂炭，十分愤慨，曾一度隐退，研究佛学。1917年，靖国军举义于渭北，反对陕西督军陈树藩。陈以李仲特德高望重，特请他到三原调停。李仲特到三原后，对举义的靖国军说："时局混沌中有此一帜，革命之曙光也，诸公善自为之。"并散发自己编印的《陈树藩祸陕论》小册子。为此，险遭不测。

李仲特晚年双目失明，但爱国爱民之心不减当年，经常大骂军阀、贪官。因为他胸怀坦荡，语言铿锵激昂，深得民众拥护，被誉为"土开花"(陕西方言，土制的大炮)。

1936年8月，李仲特病逝于西安，终年七十九岁。当时主持陕政的邵力子为之撰写《蒲城李仲特先生墓志铭》，赞扬他"淡于荣利，独喜科学"。

陕西筹安会与《秦镜日报》

梁经旭

1915年冬，袁世凯手下的一班御用文人以“民主共和不适于中国，中国必须实行帝制”为由，在京组成了所谓为“筹得一国之治安”的“筹安会”。一场复辟帝制的历史丑剧由此开锣。

北京的筹安会一起，陕西督军陆建章与陕西巡按使吕调元也在西安成立了陕西筹安会，以迎合袁氏复辟帝制的需要。陆建章，人称“陆屠户”，1914年入陕以来，滥施淫威，屠杀无辜。此时他又威逼陕西九十余州县有名望的士绅充任该会代表，聚于西安，“商讨”所谓“解决国体”问题。陆建章自任该会监督。

筹安会会址在当年慈禧与光绪逃来西安时驻跸的“行宫”内(即今北院门市政府院中)。陆建章一方面威逼代表苟同，一面又施行利诱手段，特令自商讨之日起，至“国体”议定之日止，每日赏赐各位代表鸡丝面一碗，车马费五元。不料此消息不胫而走，为当时主办《秦镜日报》的民党人士南南轩、柯松亭得知，遂将此消息以对联形式披露于报端。上联：“万里江山一碗面”，下联：“九十州县五元钱”，揭露陆建章等公然以“一碗面”断送国基，以“五元钱”贱买九十州县之民权的丑恶行径。报纸一出，西安各界大哗，陆建章恼羞成怒，立即下令拿人。然南、柯早有提防，在报纸刚一印毕即偕该社同仁一起潜逃。陆建章拿人不得，遂将报社查封。其封条上书："陕西建威将军陆、陕西巡按使吕封。"并在报社贴报栏内张贴告示："《秦镜日报》竟敢登叛词，意图倡乱，显系阻挠选政，实为革党张目……除所查封，兹令通缉重办外，仰军民人等一体周知"云云。

南南轩逃离报社后，遂与康毅如等联络组织陕西"讨袁义勇军"。不料事不机密，被陆建章捕获，于1916年3月18日遭杀害。同时遇难的还有民党人士张渊、王绍文等共十八人，被后人称为"十八烈士"。随后陕西"反袁逐陆"声势日高，陆建章终于1916年5月16日狼狈离陕。

《秦镜日报》自1913年创刊至1916年，历时三年，不幸因反袁称帝事相继牺牲了社长、主笔两员干将，从此就消失于西安报坛。

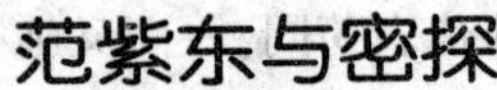

范紫东与密探

袁富民

1915年，袁世凯公然窃国，恢复帝制。陕西民党密谋讨袁。范紫东以报考知事为借口，离陕赴京，控告袁世凯在陕西的代理人陆建章的罪行。他在北京目睹袁世凯称帝的种种罪行，十分气愤，岁暮返陕，随即参加陕西反袁斗争。当时筹安会要求各省选代表，拥护袁世凯当皇帝。陕西督军府派人劝他当代表赴京，被他严词拒绝，并写了一首《新乐府·筹安会》加以嘲讽："全国投票选皇帝，古今中外无此例；岂徒民意成弁髦，直将国事同儿戏。"

其时，陕西早期同盟会会员吴希真于乾县五峰山树讨袁之帜，范紫东积极资助，并为之奋笔疾书《讨袁檄文》，因招陕西警察厅长之疑。厅长送两个儿子入范紫东执教之健本学校，名曰求学，实为侦探。督军府又在校外安插两名密探，严加监视，范紫东对此也有察觉，时时提防。他发现厅长的两个儿子思想颇为激进，才华亦堪造就，便竭力争取。对二生耳提面命，悉心指教，使二人深受感动。

一天晚上，夜深人静，范紫东上床欲睡，听到有人敲门，开门见是二生，便让进屋子。二人肃立床前，良久不发一语。他疑惧交加，问道："你弟兄二人有何疑问？"

二生答道："并无疑问，只是有话要对先生说。"

他说："师生之间，无庸隐瞒，但讲无妨。"

二生便说："我弟兄来校，并不是为了求学。"

他佯装不解地问："不为求学，来校又干什么呢？"

二生笑道："我们实是侦探，难道先生真不

知道么?"

他也笑笑反问道:"知道你们是侦探,哪还能不提防些么?"他略顿了一下,又问道:"学校里有什么可侦探的?"

二生恳切地说:"我弟兄打心底里佩服先生,所以讲出真情,请先生以后不要再拿我们当外人。健本是民党根据地,在清末人已共知。前几天,吴希真来校筹集讨袁经费,看学校账后,知道没有存款,将先生皮袍拿去变卖了二十五两银子,有这事吗?"他微微点头说:"有的。"

二生又问:"那天夜里,先生彻夜不眠,作了一篇长文章,令吴希真带去,是不是《讨袁檄文》?"他又点头答道:"是的。"

二生说:"这件事,我们如果报告了,恐先生早已身首异处了。"

他问:"既然你们是侦探,那为什么不去报告呢?"

二生答道:"数月来受先生教诲,毕生感戴。老袁叛国背誓,违逆人心,民党讨伐,词严义正,我等深为赞成。岂能做出伤天害理之事?"说罢,便将所写未呈报告拿出来给他看。范紫东看后,感慨地说:"你们这样报告,保全了不少好人。"

二生说:"请先生勿再加疑,我校可保无事。"

此后二生与校外密探相互周旋,并把督军府重要消息转告范紫东。其时,三育学校王校长与该校民党十九人同日被害,而民党诸人往来健本,联络借宿,未遇祸害,都是这个缘故。

蒋士立被刺前后

覃　潭

1915 年，袁世凯窃国称帝。先父覃振在日本东京联络华侨及留日学生，在神田青年会开会，发表宣言，声罪致讨。有蒋士立者，系袁派驻东京之坐探，携带巨金收买党人及学生中意志薄弱之辈，被其诱惑者颇不乏人。

留日学生、爱国青年吴先梅，湖南省桃源县人。以先父为革命前辈，又是同乡，深为敬重，常来我家晤谈。吴为人慷慨，见义勇为，对蒋士立之所为，极为痛恨，又闻蒋欲在东京成立拥护袁世凯的筹安分会，更加怒不可遏，决心将其除掉。

某日风雨之夕，晚十点左右，吴先梅带手枪来到蒋士立的住所。他听说，有个姓周的党人被蒋收买后，极力奉承蒋，深得蒋的欢心，蒋倚为左右手。诸事多与他商量。于是吴先梅右手握枪，左手敲门，高喊开门。里面一少年男子用日本话问："谁呀？"吴先梅答："是周先生叫来会蒋先生的，有要紧话说。"

门开后，吴先梅一步跨入，笑问："蒋先生已休息了吗？"正说时，楼梯声响，少年说："还没睡，下来的就是。"随即听蒋士立问道："什么人这么晚来，又下雨，有什么急事？”吴先梅说：“周先生有秘密报告。”蒋看吴一眼，似觉有异。吴怕被识破，即朝蒋胸部打了一枪，蒋身体一晃，吴又连发两枪。蒋仰面倒下，虽受重伤，惜未毙命。

案发后，日本报纸纷纷发布号外，日警出动缉凶。袁世凯也悬赏捉拿凶手。驻日公使陆宗舆奉袁令，秘密追查凶手。旋侦悉吴乃先父门生，认为系先父主谋，日警即于刺蒋次日，包围我家，将先父捉去。先父被捕后，先母命我去电车站等候吴先梅。她说：“此人胆大，可能来我家，那就会被捕。”我着好和服与邻居小朋友一同到电车站佯作玩耍，果有一辆车驶来，停在附近。吴下车，我低声告诉他发生的一切。他听后回头转去。事后得知，吴得孙中山先生援助，化装司炉乘法国邮轮回到上海。先父在日警厅，经受百般威逼，终无口供，于两月后获释出狱。

赵舒翘的遗言

李苍如

1901年，八国联军强迫清政府签订了丧权辱国的《辛丑条约》，并要求严惩支持过义和团运动的刑部尚书赵舒翘等朝廷重臣。慈禧在帝国主义压力下屈服，下令将赵舒翘监禁于西安北仓。

这年初秋的一天，赵接到了慈禧赐死圣旨，思前想后，百感交集。太后拿他作替罪羊来讨好洋人，赵舒翘深深地感觉到朝廷的昏暗、官场的险恶，联想自己一生的经历，他长长吸了一口气，微微闭上了眼睛。

“时间已到，你还有什么要讲的吗？”奉太后差遣来宣布“赐死”圣旨的陕西巡抚岑春煊急不可待地厉声问道。

“事到如今，还有什么可说呢？”赵舒翘摇了摇头，叹息了一声。少顷，他对岑春煊说：“临死之前，你让我再见上家人一面。”

岑春煊答应了赵舒翘的请求，派人带来了他的妻室儿女。

赵舒翘把家里人叫到跟前，逐个仔细打量了一遍，平静地对他们说：“生死离别，古今皆然，迟早都是一样的，你们不要悲痛。今日我去，没有什么挂念，但有几句话，你们须当明白，并应作为家训教育后辈。记住：‘房要小，地要少，多读书，少应考。’”说毕，喝下了毒酒……

阎敬铭买皮箱

陈显远

阎敬铭，字丹初，陕西朝邑县(今并入大荔)人。道光进士。光绪八年升户部尚书，一贯崇尚节俭，反对贪污浪费，名声很好，朝野赞誉。后升任大学士，入阁办事。

一次，阎进皇宫，见内务府承办的一百口皮箱，每口开银六十两，大为愤恨，立即去找慈禧太后，说外面买这种皮箱，至多每口不过值银六两，现在竟增价十倍，可见内务府办事人员贪污之大。慈禧便命阎代买一百口皮箱，限期半月，送进皇宫。

阎出宫未敢回家，便到北京骡马市买皮箱，但所有的皮革店都闭门停业。问其原因，答称："刚才皇宫太监来传令，立即闭门，半月内不准营业。如违令要将货物砸烂，老板捕押。"阎回家立即给天津属官写了一封信，派家人送去，请代购一百口皮箱，半月内送京勿误。哪知已过半月，毫无消息。慈禧追问，阎只好叩头谢罪。他回家一查，才知道他派去送信的家人，受了内务府一千两银子的贿赂，把信毁掉逃跑了。从此，内务府伙同一班太监在慈禧面前多方造谣中伤毁谤，将阎罢官回家。

徐普抗捐摆纱帽

陈显远

徐普，字仲山，江苏江宁人。清光绪二十七年（1901），任南郑知县。先是光绪二十六年（1900），八国联军破北京，慈禧太后与光绪皇帝逃到西安避难。二十七年，《辛丑条约》订立，八国退兵，帝后返京，给陕西省分摊八国联军赔款银六十万两，在各县地丁银每一两的基础上，加赔款四钱，已在奉行征收中。但省上大员心存偏袒，中途变卦，将陕北各县赔款移加于陕南各县，即每地丁银一两，再加三钱，成为一两七钱。汉中府县各官，都畏势噤不敢言，惟独徐普对此甚为不满,上书抗争,谓:“一两加四钱,累民已甚,再加三钱,民何以生?”并拖时缓征。省上大员以徐普违抗上命,玩职不恭,将他撤职,而全县人民对他深表同情,开会欢送。他在欢送会上说:“我不媚上虐民,保全富贵,甘愿回家种田,于心无愧。”

李蔚林拒贿惩豪奴

陈显远

李蔚林,字雨三,清代汉中府宁羌州(今宁强县)人。他在光绪时期,做过四川省几个县的知县。他为人耿直,不附权贵,清廉不受贿赂;关心民间疾苦,慎重判狱断案。清朝制度规定:凡县官下达判决书,要用朱盒红笔,作为最后决定,表示再无更改。他在朱盒上刻了一首铭文绝句:“案上一点朱,民间一点血。临事勿轻用,下笔宜斟酌。”

李蔚林在四川铜梁县任知县时,有一个豪门的恶奴,倚仗主子权势,横行乡曲,鱼肉良民。百姓们把这个恶奴恨之入骨,多次控告,历任县官包庇,不敢过问,使百姓含冤莫伸。李蔚林上任后,恶奴仍横行不法,被人告到县衙,李发签提审。恶奴心虚,先托人给李送了二千两银子,要求偏袒,李毫不推辞地收下银子。左右人见李蔚林一反常态，公然“受贿”，都觉奇怪。恶奴送过银子，有恃无恐，以为县官一定会袒护他，便来赴审。及至开庭审案，李蔚林依法处理，秉公判断，受害人冤屈得伸。恶奴被判后，大失所望，误以为李蔚林把银子的事忘了，便哀求地说：“县尊大人，我那……”李蔚林勃然大怒，喝道：“我记着的，你送我二千两银子，我要回敬你二千个板子。来，给我打！”刑房皂班立即上前，把恶奴按倒在地，打了二千个板子。李蔚林又说：“把二千两银子充公，捐给本县公益事业。”这件事一传出去，铜梁百姓奔走相告，无不拍手称快。

后来，李蔚林奉命他调，铜梁百姓，焚香拜送，并给他立了一通“去思碑”，以纪其德。

曹锟贿选点滴

窦裕庆

我家原有《曹锟贿选专辑》一巨册，内载某议员在选票上写孙美瑶、×××”等为大总统候选人。孙美瑶是当时山东枣庄巨盗，×××是娼妓。这张选票的意思说，男盗女娼都能当总统！

贿选事发生于1923年，主持贿选者是参议院议长吴景濂。吴以先父窦应昌为陕西省首席代表，想用加倍的贿金一万元银票，收买先父，票选曹锟。父亲当着来人掷银票于地，厉声说：

"我一收下这东西,就等于死亡,还要落骂名于后世,累及子孙。头可断,决不选曹。"来人威胁道:"曹、吴摆头杀人……"父亲怒极,大呼:"今后我如被杀,就是曹锟、吴景濂干的!"

当夜父亲即派人护送我全家人去上海,他只身留在北京。贿选投票之日,他在选票上大书"孙文"二字。

以后,在历次会议上,父亲又痛骂议长吴景濂破坏宪法,得到非贿议员的同情和支持,群起攻吴。当时北京《朝日新闻报》曾以《此老倔强乃尔》为题,登载其事。

陕西拒贿议员,除先父外,还有王兆离(扶风),焦易堂(武功)、高瀚湘(城固)、刘治州(凤翔)等。

高瀚湘反对曹锟贿选

陈显远

高瀚湘是陕西城固县龙头镇高家村人,1923年在北京任国会议员,正逢北洋军阀曹锟贿选大总统之时。曹锟用投一票给五千银元的价码收买议员,高瀚湘也在被收买的计划之中。

1923年10月,贿选丑剧开幕。曹锟标榜民主,邀请外国记者列席,选举用不记名投票法。但会场特务密布,监视投票。绝大多数受贿的议员,不敢违抗,都投了曹锟的票;陕西只有六个议员敢于反对,没投曹锟的票,高瀚湘就是其中之一。特务在现场已掌握了六个反对者的姓名,本想当场抓人,但碍于外国记者在场,计划等散会后,到寓所逮捕。

可是,高瀚湘投反对票后,乘人多混乱之际,立即溜出会场,没有回寓所,跑到小巷内民家,脱下自己的长袍马褂,换了一件短袄,乔装小民,逃出北京。等特务追到寓所,扑了个空。

吴新田恶迹点滴

刘永端

民国时期有个不大不小的军阀,名叫吴新田,安徽合肥人,自幼不务正业,父母与其脱离关系,后混迹北京,进出八大胡同,因巧遇机缘,进入保定陆军学校,从此青云直上,从排连长直升至北洋陆军第七师师长。他原属皖系,后改隶直系。1921 年随阎相文入陕,先后任陕南镇守使、陕南护军使、代理陕西督办。曾两次兵出秦岭,伙同刘镇华与陕西民党武装力量作战。他统治陕南长达八年之久,兵力由原来的一个师七千余人,发展到三个师两个旅三万余人。横征暴敛,聚财数以百万计,时人称之为“汉中王”。这里仅就其糜烂生活略述点滴。

吴新田是个十足的大烟鬼，在汉中期间，大肆提倡种植鸦片，他本人每天能抽七八两，连同座上的瘾君子，一天没有十两下不来。使用的烟枪有：潘云祥、寿州斗、鸡血藤、翠玉颈、银包枪、金包枪等，名堂不下数十种，真是琳琅满目，奇中有奇！

吴经常在官署摆堂会，呼朋引类，吹吹打打，行欢作乐，就连吃饭也要军乐助兴。

放烟火也是吴的爱好。每逢四时八节，不待说要大事铺张，平时兴趣一来，也要在官署后院放起烟火来，亲朋妻妾陪伴，寻欢作乐。

吴又是一大赌徒，单双、牌九、掷六、麻将、四门摊等，样样精通。小赌几人至十几人，大赌动辄百人以上。参加者全是团长、县长和地方上的绅五绅六，每次输赢竟以千金来计。吴有时作赌官，输去万金毫不动容，足见其赌兴赌量之大。

吴虽武夫，却爱装风雅，常邀集一些无聊文人，吟风弄月，秋季办赏菊会，大摆宴席。帮闲们乐得拍马逢迎，以博吴之欢心。

瘾君子大都白天睡觉，晚间吞云吐雾。所以吴很少白天办公，遇有节日盛典或检阅队伍，才例外地白天出马。届时必定全副武装，骑马前往，行进经过的路线，禁绝行人，护兵随从，前呼后拥，路为之塞，其排场之大颇似皇帝出巡。

吴的妻妾究竟有多少？始终没能弄清楚。其三姨太秉性乖巧，善于辞令，长于交际，最得吴的欢心。她酷信神仙，足迹遍汉江上下的佛寺道观。布施一掷百金。后来生一男孩，视若掌上明珠，雇用奶妈十余人，可惜此儿福薄命浅，不到三月就呜呼哀哉了。

“关中怪杰”郭坚

祁恒文

郭坚(1887—1921)，陕西蒲城人，少时广交游，重义气，爱打抱不平。求学时期即关心国事，颇有抱负。后在辛亥起义大潮的推动下，他弃学从戎，结“刀客”、聚乡勇，兴师数千人，投身反对北洋军阀的斗争。郭部作为陕西靖国军的一支骁勇劲旅，十年征战，驰骋关中，先后在讨袁护国、逐陆(建章)倒陈(树藩)的斗争中，立下了战功。

郭坚能武能文，多才多艺。他爱好文学，喜欢书画，能弹会唱。投身军旅后，每当军事闲暇，则习文练字，久而久之，练就一手好字。郭擅长“黄体”(黄山谷)。“铁肩担道义，妙手著文章”，“看来世事金能语，说到人情剑欲鸣”是他最欣赏、最爱写的名句。郭才思敏捷，喜好作诗，或谐或庄，出口成章。“禾黍高低野战场，眼中风物尽悲凉；秦山渭水应如昨，漫拟章邯作雍王”。郭坚当年题在凤翔东湖凌虚台的这首诗，至今为人们所传诵。1918年郭坚部被陈树藩军围困于羌白，郭写信向友军曹世英求援，信中只写十六个字："陈贼打我，你贼不管，我贼若死，你贼不远。"言词朴实诙谐，见文如见其人。

郭坚统率的地方部队，成分复杂，军纪松弛，所到之处派款要粮、扰害百姓，名声不好。郭坚本人刚愎自用，专横任性，《凤翔县志》有云："自好者恐与为伍；居上者惧难驾驭，以故横遭诱杀。"人们对郭坚及其所部有褒有贬，评说各异。

不过，一般而论，郭坚作为军事将领，确有其独特之处，他不仅能征惯战，而且能诗、能书、能弹、能唱。由此，秦人赠他一个雅号——"关中怪杰"。

西安围城期间的毛道尹

郭子直

毛俊臣，清末关中学者，曾先后在关中、味经二书院主讲历史、地理学。受业弟子很多，最著名者有于右任、胡笠僧、茹卓亭、李仪祉等。后入政界，官职为关中道尹(官署全称是"陕西关中道尹兼办全省交涉事宜公署")。西安城被刘镇华围困以后，毛先生不能出城一步行使职权，只能每天到公署去坐坐而已。围城八个月，是西安人民的空前浩劫，也是先生艰苦备尝的一段生活史。

民国十五年(1926)阳历3月至11月底，西安被包围达八个月之久。城外为刘镇华镇嵩军向内进攻，城内为杨虎城、李虎臣二将军率领的国民军据城坚守，始终不屈。

刘镇华开始围城时，并没有猛攻，妄想以包围的姿势，威胁城中守军不战而降。后因吴佩孚在东线失利，同时冯玉祥率领的援陕军队自甘肃东下，逼近西安。镇嵩军如鱼游釜底，便疯狂攻城，大炮弹常轰击民居。这时，毛俊臣的辖区，只存一座道尹衙门(即今西大街文化厅印刷厂厂址)，办公费用无着，还得借钱给工役维持生活。

那时城里存粮不多，外粮运不进来，粮价飞涨，群众叫苦不迭。毛俊臣《日记》载：八月十日(阴历，下同)糯米每斗十二元。九月十七日小麦一斗市价约七元余，十八日麦价一斗二十元，十月二十七日白米一斗市价十二元，小米一斗二十四元。十一月六日小米五斤洋十元。其间，十一月五日，先生家中断炊，亲自找了三家亲友，才凑了几斤麸子。等到十一月二十八日城围解，粮价大跌。先生在日记中写道："自今乃有生机，万分之幸也。"现在看来，"所记粮价之奇昂，民生之困苦，均足为史料之资"(顾燮光《日记》跋语)。

围城后期，城里人不愿坐以待毙，设法冒险出城逃生。敌军把守甚严，城门和城外战壕两道关卡难以通过。最可怕的是已经出了城门(多出西门)，敌人认为是城里派出的侦探而被击毙。毛

俊臣在九月二十日致先父建侯公的信中说："囊无钱，瓮无粟，万不得已，昨分家人一半出城就食，乃坐守战壕一夜，失去衣被数事，不能通过，又转归矣。不仁哉！梁惠王也。"另一信说："家人昨日又出城一次，办有切实保障，临时竟不能通过。日暮入城，夜投宿一友人家，忍饿一日夜，今早接回，而催粮者到门矣。"关中道尹的遭遇如此，老百姓的艰难痛苦可想而知。围城期间，百姓饿死和伤亡的约万人。开城之后，于右任曾筑白骨冢于城内革命公园，书碑记其事。

杨韶轶事

张 汉 袁富民

杨韶，福建闽侯人，1928年秋出任乾县县长。时关中大旱成灾，民逃田荒，饿殍载道，村堡为墟。杨韶见此情景，深感痛心。便向各方筹款，重修县政府，创建中山公园，让饥民前来做工，发给饭食，实行以工代赈，救人活命。

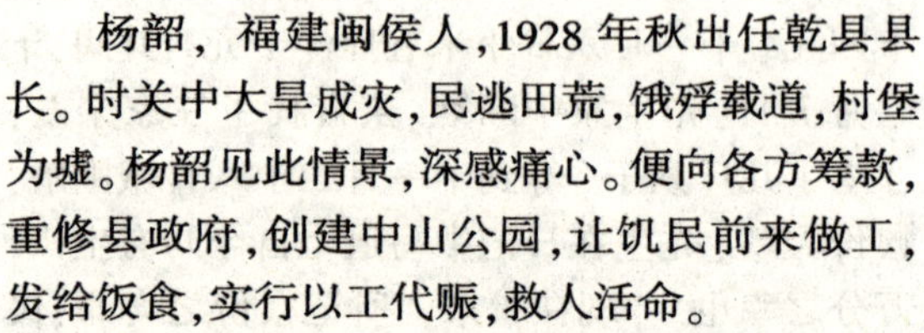

中山公园旧址，系县政府西侧一片荒地。杨韶视察后，决定建园，规划四至，且对园内花木之点缀、亭馆之布置、楼堂之修建，悉心设计。施工中，躬亲督导，历五个月竣工。并自撰楹联刻石于园门："留得园林千载在，任凭父老四时游。"

杨韶为官清廉，体察民情，常独行于街头巷尾，了解百姓疾苦，全无官骄之气。他平易近人，诙谐风趣，不拘小节，士农工商皆乐与之谈。他遇见吸烟的人，当众劝其戒烟。若于街头见衣冠整洁、家境富裕、手持烟袋者，便将其烟袋没收，交付街头饥儿，富人只得从饥儿手中用蒸馍将烟袋赎回。又见有商户门前不清洁的，即罚乾州锅盔(面饼)数个，交给乞讨饥儿分食。因此，饥儿常在县府门前探头探脑，盼望县长出行。杨韶一出，则饥儿簇拥。他也不责怪，反引为乐事。

杨韶博学强记，精识文物，好吟咏题词，感时抒怀。民国十八年(1929)他曾写五律一首云：

此地经年旱，食粮珠玉同。
夏云龙出岫，炎日贯长空。
赈恤财已竭，催科计未穷。
居官无奈甚，憔悴感牢笼。

抒发了他目睹百姓疾苦，却又无力拯救，无可奈何，心力交瘁的苦闷心情。

杨鹤庆禁烟

李庆东

1921年9月，冯玉祥继任陕西督军伊始，发布了治陕十大纲领，禁种罂粟，铲除宿毒即为其中之一。当时，刘镇华为了保住自己省长的宝座，千方百计讨好冯玉祥，也大喊禁烟。冯奉命离陕后，刘独揽陕西军政大权。为了欺世盗名，维护自己的独裁统治，继续大喊大叫禁烟。一次，他亲自登门拜访华县名士杨鹤庆，对杨慷慨激昂地说："洋烟祸害地方如此，望君能助我禁烟，我宁可不作督军，也非禁烟不可！"杨本来就热衷桑梓慈善事业，加之刘镇华登门相请，遂信以为真，答应助其禁烟。

不久，杨鹤庆奉命出任第一区禁烟督察员，专办关中西部兴、武、周、户等二十八县禁烟事宜。经过一个多月的努力，他基本弄清了西部各县烟毒泛滥情况并初步实现了禁种。返回西安后，他又主编《光明》刊物，全力鼓吹禁烟，决心为禁绝陕西烟祸竭尽全力。

然而，刘镇华是一个口是心非的两面派。他在陕西的统治巩固后，就撕下禁烟的假面具，迫民种烟，征收烟税，以供扩军之用。据当时报刊披露：1923年夏，陕西的烟田比往年特别增多。关中西部的兴、武、周、户一带，红花绿梗，迎风摇曳，一望无涯。1924年，关中东部各县，没有一处不种烟苗。陕北延安县的烟苗，直种到城墙根下。陕南南郑县的烟苗，则在城内安家落户。致使陕西鸦片运售络绎于途，烟民人数超过了清代末年。于是，全国舆论鼎沸，帝国主义列强也哗然兴起对中国实行国际共管之说。在此情况下，杨鹤庆痛感禁烟努力毁于一旦，只好离乡别土，愤愤出陕。而北洋军阀政府的"禁政"到底是什么货色，也就一清二楚了。

青布棉袄蕴深情

刘国光

1935年，蒋介石为了阻拦北上抗日的中央红军进入陕甘革命根据地同陕甘红军会师，把一直受他排斥的东北军主力部队调往陕北。当时《三民主义月刊》报道："有谣传说，这次指定东北军剿共，实为计划消灭东北军，就像以前消灭各省地方军一样。"这段文字，看来是在为蒋介石辟谣，其结果却是"此地无银三百两"。是年11月，东北军一〇九师在鄜县(今富县)直罗镇战役中全部被歼。我父亲刘德洛是该师的参谋长，被俘。

父亲被俘后不久被带到瓦窑堡。在那里受到毛主席等中共中央领导人的接见，生活上享受边区最优厚的待遇。1936年初冬，父亲穿着红军给他特做的青布三面新棉袄，围着有浓郁陕北特色的白羊肚毛巾，揣着一块警卫员送的米脂家织手绢，带着使他难以理解又难以忘怀的情意，回到了西安。

南京政府对东北军不予补充，撤销了一一一师、一〇九师番号，减发军饷。在这种情况下，父亲作了寓公。不但无职无权，因为从陕北回来，还要接受当局的审查。

由于我舅爷王树常（解放前任河北省主席，解放后任第一届全国政协委员)同张学良的交情很深，父亲常出入张学良公馆。他经常穿着那件饱含深情厚谊的青布棉袄。此时，张学良已同陕北红军代表李克农接触过，还看到了红军领导人《致东北将士书》，所以，对父亲所讲在瓦窑堡的情况，很感兴趣，还详细询问了细节。但是，他对父亲总是穿着那件棉袄，却百思不解。一次，他问："没军饷，做不起衣服吗?怎么总穿这件黑不溜秋的棉袄?"父亲说了棉袄的来历。张学良感叹说："南京政府能有这样的大度就好了。"

安汉被害始末

江弘基

1943年10月27日深夜，黎坪垦区管理局局长安汉被枪杀于汉中西门外。

安汉，字杰三。南郑梁山人。留学法国九年，获农学硕士。回国后，1931—1932年间，先后参加西北实业调查团和陕西实业考察团，赴各处实地考察。著有《西北垦殖论》、《西北农业考察》等书。

黎坪在川陕交界处，地跨南郑、褒城(今废)、宁强、勉县和四川的南江、广元等六县。地域辽阔，山深林密，土质肥沃，适于垦殖。1940年春，安汉任农林部黎坪垦区管理局局长。到职后，苦心经营，披荆斩棘，平匪患，铲烟苗，修道路，兴学校。一年之后，已能安置四千余黄泛区灾民。至1942年夏，垦地已达六万余亩，垦民三万余人。

安汉是一位热情的爱国主义者，汉中各县青年知识分子都喜欢到他家里去谈论时局。在谈论中，安常称贪污横暴的鄂陕甘边区警备司令祝绍周为“大阎王”，南郑县长孙宗复为“小阎王”。在某次会议上又曾当众质问祝绍周：“司令部修游泳池，料是拆城墙的砖，工是拉的民夫，花费何以如此之大?”

1942年秋，晋陕监察使王陆一巡视陕南，他在离陕前接见孙宗复，安汉在座，问及汉中各主要官员的学行与政绩，孙唯唯诺诺，搪塞应付。安汉却说：“祝绍周不读书，刚愎自用，又忌贤妒能，实在是才小位高。”事后，孙宗复即去祝绍周家，将安的话向祝和盘托出。祝恼恨至极，下决心除掉此地方实力人物。

祝绍周的杀机，孙宗复心领神会，于是他利用廖大学和孙鹏布置罗网。这二人原是孙的保甲人员，土匪出身，现虽被安汉收编为垦区保安人员，但匪性难改，仍有偷种少量鸦片行为。孙宗复悄悄跑到廖大学家，以抗战期间种大烟要杀头相威胁，逼廖承诺：(一)把私种鸦片的责任全部推到安汉身上，将烟膏和报告送到祝绍周那里；(二)再派心腹之人到深山老林中去多种鸦片。

祝绍周知道罗网已经织成,翌年端午节前,派少将参谋张新三,伙同汉中专员魏席儒,南郑县长孙宗复和各界人士,组成庞大的“慰问团”去黎坪“慰问”。

安汉虽然想到孙宗复进山不怀好意，但对包括地方人士在内的“慰问团”仍以礼相待,备办了饭食。席间，孙宗复诬称沿途所见烟苗很多,“不知安局长作何解释?”接着一声喝,便有二十多名士兵，各执干罂粟秸秆一把，涌入室内;继而又有一队兵丁背来带花的鲜活罂粟,堆放在地。孙宗复厉声吼道:“安汉!在你辖区查获这么多的干青烟苗，你违禁种烟，还有什么话说!”话未落音,几名彪形大汉就猛扑上来,将安汉拘捕,关押在汉中警备司令部。

1943年秋天，重庆国民党军事委员会派军法总监部副总监秦德纯为审判长，专程到汉中审理此案。在廖大学、彭伯涵(管理局秘书)等人的伪证下,以“武装种烟,并包庇民众种烟”罪,判处安汉死刑。

一位爱国志士,很有贡献的农业专家,便这样白白地死在新军阀的枪口之下!其时年仅四十七岁。

张灵甫遗书之谜

吴　鸢

1947年5月中旬，华东人民解放军在山东孟良崮将蒋介石御林军、国民党军队五大主力之一的整编第七十四师(原为七十四军)全部、彻底、干净地歼灭。师长张灵甫(陕西户县人)、副师长蔡仁杰、副参谋长刘立梓、整编五十八旅旅长卢醒等躲在一个山洞里，被解放军击毙。这是解放战争中的一次重大战役，震动中外。《新华日报》《大众日报》以及新华社都报道了张灵甫等被击毙情况。而国民党却宣扬是集体自杀，根据是张灵甫的一封遗书。实际上这份遗书是张的老上司、原七十四军军长王耀武精心编造的，连蒋介石也被蒙在鼓里。

孟良崮战斗刚一结束，蒋介石电询王耀武有无张灵甫等人详情，该师有人到济南否。这时该师恰有少数人逃到济南，内有师部副官赵某。王耀武面询作战经过后，召集副参谋长罗幸理、第一处处长吴鸢、第四兵站副总监郑雍若、秘书主任钟晓林等商议，决定为张灵甫写两封遗书，一致蒋介石，一致其妻。致蒋介石信中大意是：此次战役，本是一个歼敌决战的良机，但是友军不协作，近在咫尺，也按兵不动，孤军作战，致遭惨败。实无颜见校长,现与蔡仁杰、刘立梓、卢醒等集体自杀,以报党国。措词悲壮,迎合了蒋介石的意愿。在致妻信中,聊聊数语,嘱其改嫁,盼能善抚孤儿。张灵甫长于书法,笔力遒劲,译电科科长李啸梓与张同年,平日喜模仿张字,当即由李书写。经过再三推敲,认为没有破绽,才派专人送到南京交给侍从室侍卫长俞济时(俞是七十四军首任军长)转呈,说是张自杀前写好,交副官带出的。王耀武之所以编造这封“遗书”,是为自己和张灵甫等脸上贴金,捞取政治资本。

蒋介石阅信后,大为赞赏,将信交档案室保管,通令全军要效法张灵甫的忠勇;并将英国政府赠送的两艘巡洋舰之一命名为“灵甫号”,举行命名典礼时,邀请张灵甫遗孀王玉玲参加。对指挥失误的高级将领,如徐州绥署主任薛岳、第一兵团司令官汤恩伯,分别调职。坐视不救的整编八十三师师长李天霞革职法办。

平民县人民渡河杀敌

续约斋

平民县是冯玉祥督陕时新设的一个县，地处黄河滩上，辖二十五个村庄，五千余人口，东与山西永济县城隔河相望，距离仅五里，西十二里为朝邑县城。位置相当重要。

1937年冬，太原失守，日本侵略军以此为据点，下同蒲，取虞乡，占永济，梦想渡过黄河，将魔爪伸向陕西。敌人占领永济县城后，随即在城楼西面安装了五六门大炮，日夜向平民县轰击，并助以飞机轰炸扫射，炮弹、炸弹每日不下二三百枚，人民死伤，庐舍为墟，情势十分危急。

在这种情况下，陕西省主席孙蔚如将军，急派十七路军一七七师李兴中师长率部布防黄河沿岸，并于1938年2月28日委任三十一名县长，配合军队，防范来敌。这批县长之中，我是最前线的平民县县长。到任视事后，见日寇近在咫尺，以身临前线，职责所在，誓与全县人民共守斯土。

平民是个小县，但居民多半是从直、鲁沦陷区逃亡来的，国仇家恨，抗日意识强烈。3月20日，乡民马振武等联名请缨，要求“共赴国难，灭此朝食，保我国家，不惜五尺之躯”。从此一呼百应，不旬日竟有百余人报名。我择其胆识兼优、熟悉水性者，得四十二人，编队驻在县府，名曰“平民县渡河杀敌游击队”，亲加训练。会省警备第二旅驻防本县，孔从周旅长极力赞助，并假以新式步枪四十枝，手榴弹三百颗，子弹三千发。

4月15日，这支游击队准备就绪，当晚开赴县属之靖安村，翌晨全数东渡黄河。一到山西永济县境，有五六百山西的乡民请求加入杀敌义军。我们发动群众，搜索敌兵，明散暗聚，避实就虚，出其后方，攻其不备，破坏铁道公路以及电话线路。自4月19日起，几乎无日不与日寇接火周旋。每次都有斩获，使敌人龟缩城内，不敢离城外出。5月28日傍晚，我方与敌在仁阳村铁道旁相遇，激战竟夜。敌伤亡惨重，给养断绝，乃弃城远遁。游击队于次日正午收复永济县城。是役计夺得曲射炮一门，平射炮弹五百发，九四式榴弹炮单引线头五百发，催泪瓦斯十六筒以及其他战利品共四大车。此外,还活捉伪公安局长一名,汉奸十余名。至此,渡河作战前后共四十七天。我在6月3日将队伍带回平民。在永济收编的四百多名队员交永济王县长统率。

7月1日,我到西安七贤庄第十八集团军办事处面谒林伯渠处长,林老慰勉有加。不久,行政院服务团第一小组来县调查,编纂了一本游击实录——《陕西平民县义勇壮丁渡河游击事略》。

卫立煌访问延安

王延平

1938年2月,卫立煌在八路军的帮助下,成功地摆脱了日军对晋南的围攻。4月,卫立煌在向晋南中条山转移时,访问了延安,受到边区军民的热烈欢迎。

4月17日,第二战区前敌总指挥部的车队由延水关出发,经过延川,直奔延安。

卫立煌抵达延安时,前来欢迎的有滕代远参谋长,十八集团军陕北留守处主任肖劲光、交际处处长金城等。

毛泽东主席接见了卫立煌、郭寄峤等一行。卫立煌称赞八路军对日军作战打得好。他说自己有机会来延安聆教,非常荣幸。毛主席谈了国共合作的重要性，又谈到反对投降主义的问题，并对日军的动向作了全面分析。卫立煌、郭寄峤等听了极其钦佩。当毛泽东主席谈到八路军深入敌后，弹药和医药卫生器材缺乏时，卫立煌表示要尽力帮助解决困难。

中午，毛主席设宴招待卫立煌，作陪的有滕代远、肖劲光等。主客交谈，情感融洽，气氛热烈。

下午，滕代远请卫立煌参观抗大。罗瑞卿副校长迎接卫立煌一行到办公室，先介绍了抗大的历史，后带领卫等参观了学生宿舍。当看到学生上课的座位是用几块破砖砌成方形的凳子，两个膝盖当书桌记笔记时，卫立煌、郭寄峤等频频点头赞叹，说道："中国各地都像你们这样搞起来，还愁日本鬼子打不走！"

在学校大操场，卫立煌向学生讲了话。他以自己的亲身体验说明，只有同八路军亲密合作才能战胜日本侵略军。并表示今后要继续和八路军亲密合作，一道坚持华北抗战，决不退过黄河；要反对妥协，收复一切失地。

晚上，毛泽东陪同卫立煌观看由各界举行的盛大欢迎晚会。当晚，卫、郭一行下榻于基督教堂，这是延安城郊惟一的"洋房"。

4月18日，卫、郭一行离开延安到西安。次日，卫立煌即以第二战区副司令长官兼前敌总指挥的身份，签发手谕："即发十八集团军子弹一百万发，手榴弹二十五万颗。"同时给十八集团军牛肉罐头一百八十箱。

孙蔚如杀敌赋诗

郑涵慧

1938年7月，抗日爱国将领、原陕西省主席兼三十八军军长孙蔚如调任第三十一军团军团长，统率三十八军和九十六军，奉命率在陕各部属由朝邑、大庆关等处渡过黄河，驻山西永济县六管村及临晋县吴王渡等地，开始了浴血奋战三年之久的中条山保卫战。三年中，孙将军所部，以劣势装备击退了气焰嚣张、装备精良的日军二十一次进攻，先后有两万多名将士为国捐躯，给日寇以沉重打击。敌伤亡几倍于我方，曾陆续补充新兵十九次。日寇惊叹，中条山是“盲肠炎”。此役对阻止日寇西进，保卫黄河，保卫陕西，以及支援全国战场都起了很大作用。

中条山战役中，最激烈的是1939年6月平陆之战。在这次战斗中敌人以三个师团兵力，野战山炮各一联队，战斗机、轰炸机三十八架，分九路向我军阵地进犯，双方激战十昼夜。战斗之激烈，敌人伤亡之惨重，均系前所未有，表现了中华民族不畏强暴、保卫国土的伟大精神，在抗日战争史上写下了光辉一页。

在平陆战役取得辉煌战果之时，孙将军挥毫赋诗，以抒胸臆：

烈烈金风荡寇氛，中条立马日将曛。
十年积恨还沈辽，百战提兵步潞汾。
师克在和壮在直，汗挥如雨气如云。
待看斩尽楼兰日，痛饮黄龙庆大勋。

国民党元老于右任先生闻知中条山保卫战的情况后，极为振奋，也乘兴写《天净沙》小令一首以赠孙蔚如将军：

中条雪压云垂，黄河浪卷冰澌。血染将军战史，北方豪士，手擒多少胡儿。

抗战时期的大同学园

张光祖

1939年初，国民政府军政部“第一俘虏收容所”由西安终南山下的灵感寺迁至宝鸡县渭河南岸约十公里的太寅寺，名曰“大同学园”，改单纯管束为用人道精神教育和感化俘虏，使众多的日俘不再与中国为敌，转化为和平友好的促进力量。

大同学园有相当可观的教师阵容。所长汪大捷，曾两度留学日本，毕业于东京帝国大学，前妻苏敬和也曾在日本研习哲学，夫妻俩被称为“日本通”。教务主任白光里，清华大学毕业，主北平高级中学教务多年。训导主任刘麟阁，日本京都大学毕业，妻子是日本人。教员周正和，日本京都大学毕业。他们的辛勤工作,给日本战俘留下了不可磨灭的印象。当时"大同学园反侵略战争同盟会"会长押切五郎曾写对联云:"俘虏学校空前史,人道精神最高峰。"

汪大捷是我在北京师范大学教育系求学时的同班同学,"七·七"事变后,他从日本、我从法国回国,同时执教于国立西安临时大学。汪后被调西安行营任参议,主管日俘事务。此时他夫妇住在我家,朝夕相处,无所不谈,故此我对大同学园情况知之颇详。

学园对伤病日俘给以医疗,使他们恢复健康,并注意改善伙食,由山上接下来的泉水也是通过木炭、石灰和沙子过滤,以保证饮水的清洁。有时组织各种比赛,学园职工和领导亦常常参加,消除了俘虏原有的等级观念。从学园到宝鸡县城修有一条公路,命名为"大同公路"。参加修路的俘虏每日可得二角零用钱。他们为此感奋不已,有人在"感想文"中说:"这个大同学园,这条大同之路是救人救世的,是走向人道、正义、人类幸福和世界和平之路……"

在感化的基础上,大同学园千方百计开展对日俘的正面教育,不断提高他们对这场战争性质的认识,还从中日两国的历史关系,文化渊源,尤其是结合陕西的特点,讲述许多盛唐时期中日交流的史实,使日俘理解侵略中国是违背两国人民根本利益的。当日俘听到我军台儿庄大捷的消息,大为震惊,打破了对日本军国主义宣传"三个月征服中国"的梦呓的迷信,许多日

俘痛感受了日本军阀的欺骗。

学员山本是日本庆应大学毕业生。1940年夏，他鼓动战俘趁雨夜集体逃跑，被发现后隔离禁闭，时又身患重病，自以为不被处极刑也得病死。出其所料，学园及时送他到宝鸡医院抢救。在住院治疗的两个月里，所长多次带着水果、点心去探视、谈话。病愈后，他在悔过书中写道："我是清和天皇二十五代孙，祖先是开拓北海道的功臣，……帝国思想是不能改变的，但是汪大捷先生的人道主义、大同思想和自己亲身体验学园对俘虏的优待，我服了。"后来他还以学园生活为素材写了《至上之爱》、《天堂之狱》等剧本，被"反侵略战争同盟会"聘为该会顾问。

大同学园的事业逐渐为国内外所赞誉，一些知名人士和新闻记者前来参观采访，香港《大美画报》和《大地画报》都作了报道，著名的爱国华侨陈嘉庚先生也曾来此参观并留影纪念。

日军女俘田中照子

梁福义

宝鸡太寅寺日军俘虏收容所(一度称"大同学园")里有九名女俘，其中田中照子给人们的印象最深刻。她到收容所时已是徐娘半老，肤色白皙，体态微胖，脸庞圆润，眼角鱼尾纹不太显现。

刚到收容所时，很少有笑容，忧伤的神色里含着恐惧。

田中照子分配在太寅村民张恭行家居住。她很爱张家的孩子们，闲着的时候喜欢逗孩子们玩，先是很开心，玩一阵后抹着眼泪离去。由于日本侵略军在中国犯下了种种罪行，村民们一开始都不愿意与日俘接近，因而张家人不理解她为什么先笑而后哭的原因。田中照子勤快耐劳，常为所长马益祥家作杂务活，如抱娃、洗衣、劈柴等。也帮着张恭行的妻子李氏做些家务事。李氏是一双缠过的小脚，田中照子却有一双天足，李家水缸常常都是田中照子给提满的。时间长了，这一对不同国籍的女人慢慢熟了。田中照子渐渐地学会了说中国话，有时她们也在一起谈谈家常。她告诉李氏说，在日本她也有个美好的家，还有一个可爱的孩子。李氏这才明白田中照子看到了孩子为啥哭哩。田中照子二十岁的时候被征到中国来，在关东军中作慰安妇，从来没有笑过，只在强迫劳军时强装着笑。这哪里是笑，比哭还难过。

田中照子惟一的嗜好是吸烟，常在村民开的小铺里赊烟吸。她会织毛衣，织成了放在宝鸡市场卖，卖了钱还账。收容所在宝鸡城西街开了个商店，专门销售俘虏们做的工艺品。有棉布、毛衣、背心、手套、袜子等，有木质躺椅、筷子、箸匣、木箱、手杖、小凳子、茶几、印章、印章盒、肥皂盒、麻将牌、象棋，还有木制的小车、小船、小人、小动物等，就是不制作玩具武器，可见俘虏

们对战争已深恶痛绝。

日本投降后，日俘于1946年4月被遣返，临别时田中照子送给李氏一个自制的肥皂盒，留作纪念。

一张灶君图

魏钢焰

1939年，在八路军野战政治部火星剧团武乡县驻地的院子里，突然，吊起了一面大锣，一些胼手胝足的老农民被簇拥着进了院落。他们是请来的秧歌把式，给剧团同志教习武乡秧歌的舞步和小戏。霎时，山村里响起震心动魄的声，粗犷浓郁的乡土曲音。

面对这种情况，剧社里有些业务骨干心里七上八下，不知上级为何如此决策，也不懂未来舞台该是什么模样。

一天，野政宣传部副部长王东明与我们几个艺术教员谈起部队文艺的形式与方向问题。他说上级作出这个决定，并非仓促之举，它牵涉到抗战文艺、革命艺术的方向和实质。说着，他打开背包，取出一张从沦陷区得来的图纸让我们看。这是一张道林纸印刷的精美神像。乍看，它和农家灶台上贴的灶君爷一般无二；灶爷胖呼呼，笑呵呵，坐在中央。但仔细看去，它却把

"上天言好事,回宫降吉祥"换作"建东亚新秩序,一片王道乐土"。

"看!日本侵略者对他们的宣传对象,对中国的农民有多么深入的了解! 而我们呢?至今还不懂得农民、士兵的喜爱和心理,不懂得土色土香的民间艺术之可贵。尽管真理在手,却找不到走进他们心里的那条路!我们该把这幅画贴在枕头旁。每天看一看,想一想! "

1942年,毛主席发表了《在延安文艺座谈会上的讲话》,为革命文艺事业指明了方向。当我在绥德看到那开创艺术新天地的鲁艺秧歌队,百感交加, 不由想起了面容清癯苍白的王东明副部长,想起了那幅灶君图。

日军司令落网记

何德春

姚相唐,陕西渭南人,原为国民党二十七军的上校团长。抗日战争时期, 他在道清铁路沿线,独立指挥作战。他认为敌情报机关应是首先打击的对象。当时敌华北情报司令部,设在平原省会新乡。姚相唐决心捣毁它,先后派去两批人员侦察,毫无收获。1942年仲秋季节,姚说服了皇协军的杨周文团长,二人遂结金兰。一日,姚向杨倾吐欲毁敌情报巢穴之意,杨愿竭诚以赴。

姚团长决定亲自去新乡一行。杨为姚办妥“良民证”和路条后,姚乔装商人,潜入新乡市,住进日本洋行。月余之久,对敌情报巢穴竟一无所知,姚相唐心中忐忑难安。一日到市郊闲步,在难民区遇见一位老叟,姚尊一声“老者!”老叟一见有人喊他,仔细打量,这人头戴礼帽,身着大褂,高大身材。老叟误认为姚团长是个海洛因的买主,便做了个“六”的手势说:“要么?”姚反问:“有吗?”老叟说:“请进。”姚团长走进草棚,老叟拿出一小包海洛因说:“上等货。”接着说:“儿子在日军司令部当差,我替他的官长代卖。”姚点了点头,给了二十元老头票,转身外出,也没有叫老叟找零。此后,姚相唐每天都去老叟家一趟,常带些烧鸡、烧饼、糕点之类。时间一长,两人混熟了。

一天,老叟的孩子回家,老叟向姚相唐作了介绍。姚拉住孩子的手,不住夸孩子聪明伶俐,老叟插嘴说:“日本人就是看上孩子老实灵性,才调他去司令部的。”孩子对老叟使了个眼色,让他不要讲。姚故意对老叟说:“我想让孩子给我当干儿,你看……?”正坐一旁拧绳的孩子他娘立刻笑着说:“小三,快给你干爹磕头!”姚相唐掏了三百元老头票给小三做见面礼。后来,姚从干儿子口中知道他当差的机关就是敌华北情报司令部。

回驻地以后,姚团长和杨周文商量如何捣毁敌情报巢穴,制订了方案。在杨的斡旋下收买了几个皇协军官佐,暗订盟契。

深秋的一个无月夜晚，姚团长把全团官兵化装成“皇协军”,混进了新乡市。大约午夜时分,姚的干儿子偷开了大门,正在熟睡的敌军，做梦也没有梦到中国军队会在更深夜阑的时候袭击他们。一百五十名双手沾满中国人民鲜血的刽子手,束手就擒。姚团长命令每三个战士押一个俘虏向北走。离开市郊二十多里,发现了敌人的追兵,姚团长当机立断,命令向左拐,走小路,摆脱了敌人的追击。经过辉县,到林县境内上了山。范汉杰军长亲率部队在半山腰接应这些铁血男儿们。

驻定后,清查俘虏,内有司令片山定一郎及其夫人,大尉四人,情报员一百四十多人。军部给姚团长记了特等功,对全体官兵传令嘉奖。

张恨水否认张学良与胡蝶跳舞

荆梅丞

1931 年“九一八”事变前后,我正在北平北华美专就读。事变后的几天里,北平舆论异常沉闷。大约半个月后,由南方传来了消息,说是事变当日，东北军统帅张学良正在北平自己的公馆里与电影女明星胡蝶跳舞，沈阳方面三次致急电,他连电文都顾不上看。到了 11 月 20 日,上海《时事新报》登载了马君武的感时诗《哀沈

阳》,诗云:

赵四风流朱五狂,翩翩胡蝶最当行。
温柔乡是英雄冢,那管东师入沈阳。

告急军书夜半来,开场弦管又相催。
沈阳已陷休回顾,更抱佳人舞几回。

消息传开后,全国震动,北平也是一样,人们都在痛骂张学良,说他丧尽天良,误国误民,是人间败类。我当时对张学良也十分憎恨,遂约几位同窗来我宿舍商量该怎么办。最后,大家商定了三条主张:一是设法刺杀张学良,为国除奸,为民除害;二是到关外投靠马占山打游击去;三是到山海关投靠何柱国,直接抗日。

第二天早晨,我们把商定的三条向我们的校长张恨水先生作了汇报。张以很严肃的口吻对我们说:"你们到关外打游击,到山海关抗日,我完全同意。但你们要刺杀张学良,我不同意。你们为什么要杀他呢?还不是说他与胡蝶跳舞吗!关于此事我知道得最详。这次明星公司来北平拍片,共来了四十二人,由张石川带队,住在东四三条胡同里。他们要拍我的作品,因而我天天和他们在一起。这次来北平,他们计划要拍三部片子:《自由之花》、《啼笑因缘》、《落霞孤鹜》,任务艰巨,胡蝶又是特号大忙人,哪有闲情去跳舞,何况张、胡并不认识。现在大家都说张、胡在事变当夜跳舞,我看这里面有问题,是个阴谋。"我接着又问张先生:"这么多天来,全国都在痛骂张学良，如果冤枉了他，他难道都不表个态吗?”张先生摇摇头说:“这个问题吗……我不能说了,也不敢说了。”

八九年后,我与洪深在一起工作,他当年也是从头至尾参加了明星公司在北平的拍片活动,当我以张、胡跳舞之事询问他时,他的回答也与张恨水先生的回答相同。

《资本论》提到的惟一中国人

袁博文

马克思在《资本论》第一卷第一篇第三章中论述铸币与价值符号问题时，分析了由国家发行并强制流通的纸币，有代替金银来执行铸币职能的作用。在这里，马克思特地写了一个附注，即〔83〕注："清朝户部右侍郎王茂荫向天子上了一个奏折，主张暗将官票宝钞改为可兑现的钞票。在1854年4月的大臣审议报告中，他受到严厉申斥。他是否因此受到笞刑，不得而知……"(《马恩全集》第23卷146—147页)马克思在《资本论》中虽然多次提到中国，但只是在这里提到了一个惟一的中国人：王茂荫。

马克思的《资本论》第一卷问世后，很多人都不了解王茂荫其人其事。日本经济学家河上肇在翻译《资本论》时，把王茂荫译为“王猛殷”；而在另一种《资本论》日译本中，又把王茂荫译作“王蒙尹”。1930 年陈豹隐在翻译《资本论》时，则把王茂荫译为“万卯寅”。1932 年，侯外庐和王思华翻译《资本论》时，才与当时的财政史专家崔敬白从《清史稿》中查到了王茂荫这个人，了解了他的事迹。我国另一位翻译《资本论》的吴半农，曾在史学家吴晗的帮助下查出了王茂荫这个人。与此同时，郭沫若也在查阅清史资料中，知道了王茂荫的生平及其经济思想。马克思很早就关心和研究中国经济问题了，然而，我们中国人却很晚才知道王茂荫这个人，才开始研究王茂荫的经济思想。

清末企业家何新三

李佩今

石泉县是陕南的一个贫穷落后的山区小县，居民祖祖辈辈都从事传统的农业生产，商品经济十分落后。清末这里却出现了一个企业家何新三。

何新三，生于咸丰三年(1853)，死于宣统元

年(1909)。他生性聪慧,才智过人。清光绪十三年(1887),县试名列第一,补了廪生。他的儿子何毓峰,由当朝刑部调河南做官,家境逐渐富裕。何新三用钱捐了个同知官,但没有到吏部去铨选。他弃官不做,带着白银,投资山东,开办盐业。

当时,德国人想开办山东的盐业,用中国的丰富资源发一笔大财。可山东巡抚不愿财源外溢,劝导山东的绅商投资开发。当地一些富商不愿投资,冷眼旁观。这时,何新三挺身而出,投资白银一万两,开办了山东淄川的矿业。

何新三带领几千名工人,日夜加班加点地生产。为了提高经济效益,他不辞劳苦,事事躬亲。由于他经营得法,在矿工和群众中获得了很高的威望。

当时,朝廷设置劝业使数十名,巡行各地督促振兴实业,但却收获不大。而何新三放弃官位,慷慨解囊,投资山东,振兴地方实业,实在难能可贵。

董黼丞横眉冷对刘镇华

何清谷

刘镇华在直系军阀吴佩孚的支持下,1926年4月中旬,率领镇嵩军大举入陕,妄图重新盘踞西安。不料受到杨虎城领导下的西安军民的坚决抵抗，三个月攻城不克，围城无效，诱降不成，骂声载道，无计可施。

7月间的一天，刘镇华在苦思冥想中忽然想起一人——董鬴丞。1924年刘镇华任陕西督军兼省长时，在张翔初公馆初识董鬴丞。董是关中名士、著名画家，品学兼优。刘镇华非常重视笼络当地文人，派人打听，得知董鬴丞隐居于长安县西韦村。刘镇华装出礼贤下士的样子亲自去西韦村登门造访。马车到了门外，副官先行禀告："董先生，讨贼联军陕甘军总司令刘将军到。"董说："他找我干什么？"不料刘镇华大步流星走进屋里说："听说董先生隐遁山林，逍遥自在，特来叙旧。"董冷冷地说："你是将军，我是小民，你下令把我们快收割的麦子烧得光光净净，我只等饿死，咱们还有什么话可说！"刘说："那也是没办法了，我不烧就被杨虎城抢收了。两军交战，不狠哪行？"董说："那你就狠去吧！"刘镇华为了缓和气氛，拐弯说："你我都是清末秀才，如果不废科举，以先生之才学一定能考中举人、进士。"董又冷丁道："考中了能怎么样？我的老师薛寿萱，不但考中了进士，还当过翰林院编修，不是也被贵军围在城里，听说已经饿死了吗？"刘说："我何尝不想救城里百姓，希望先生帮我一把，把陕西各地的书画家请到我公馆去开会，大家给我想办法，求得和平良策。"董说："我一介小民，有何德何能邀集陕西书画家开会？你如果真想求和平，我就有一良策：你们镇嵩军撤回河南，镇守嵩山，使其名实相符，不要在西安纠

缠,西安就和平了,刘将军也可以免得留下许多骂名。”刘镇华碰了钉子,只得悻悻而去。

又过了将近一个月,刘镇华派他的副官偕同董黼丞的两位老朋友,硬把董黼丞请到西安城东十里铺刘镇华的总司令部赴宴。备了两桌丰盛酒席,一桌全是刘手下的高级军官,董黼丞被邀入另一桌入座,刘镇华及董相识的几位文人作陪。酒过三巡,刘就转到正题说:“本人向来非常佩服董先生的学问品行,尤其喜爱先生的山水画,今逢吴佩孚给他母做寿,想请董先生画一幅山水中堂作为寿礼。”董黼丞勃然变色,怒冲冲地说道:“吴佩孚给他妈做寿与我何干?我为什么给他作寿礼?我的画是用命换来的,近来常因作画而吐血,我为什么给吴佩孚卖命?”立即离席,向陪他的两位朋友示意:“备车送我回去!”刘镇华气得目瞪口呆,只好让他离去。

以后吴佩孚打了败仗,刘镇华也于同年 11 月 27 日从西安向东溃退,董黼丞可能遇到的报复得以幸免。

张宗昌赖赌账

冯健龙

1926 年,奉军驻扎北京。张宗昌部队虽布防在山东,但由于依附奉系,他本人却常在北京。

一日，这位将军与张学良邀集北京财政金融界首脑人物一起斗牌消遣，众人赌兴颇浓，由傍晚直赌至拂晓，两位将军为大输家，不肯罢休，而其余赢家又不便提议散局。张宗昌看着无法收场，遂对张学良说："老汉(张号汉卿)，北伐军快进山东了，咱们不能再玩下去了，今天这个败局(指赌局)你不收拾，由我收拾吧！"随即令人取过笔墨在白纸上一挥"见票即付来人大洋××万元"，并签名交与赢家。众人问道："凭这张票何处支款？"张宗昌略微迟疑后，提笔在上款加书"致山东省银行"六字，并大笑说："这一回轮到山东省老乡倒霉。"

于右任误罚李祥麟

陈崇凯

李祥麟是于右任最得力的随从副官，不但衣食起居、接待应酬离不开，就是书法题字常常也得李代笔应急。于的故乡三原人常说，于先生出门，可以不带夫人，但不可不带祥麟。但正是这个细心忠诚、无秋毫过失的李祥麟，却曾被罚跪乡里。

民国十九年(1930)底，于先生因救灾返乡。一天，于先生视察民治小学，一姓王的同窗从二十里外来该校拜访，因于先生去察看试验站未归，就把提来的二十个鸡蛋和一斤细点偷偷放在校长室，临走时只告知李祥麟他是先生的少年同窗。李祥麟送客回来到校长室取马灯时，才发现了桌上的东西。他正在为无法退掉礼物发愁，于先生恰好回来瞧见。先生查询了事情原委后，十分生气。立罚李祥麟一手提鸡蛋，一手提细点，跪在校长室门前。李祥麟虽然满腹委屈，眼含泪花，但终因犯了先生拒不受礼的“禁”而乖乖跪在校长室门口“思过”。此事在三原传为佳话。

党晴梵轶事

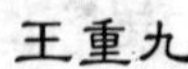

党晴梵(1885—1966)，陕西合阳灵泉村人，毕业于上海公学。善诗文，精书法，博学自负，交游极广，收藏丰富，名噪一时。民国初年，曾为靖国军郭坚部参谋长，驻防凤翔。1921 年，冯玉祥诱杀郭坚，同时悬赏通缉党晴梵。当时党住在西安卢进士巷，闻讯大惧，决计逃跑。当顺小巷走到东门附近，遥见岗警林立，盘查森严，正在进不能、退不得时，瞥见路边有一洋车夫坐在车里打盹，于是情急智生，操起车柄，弓腰低头，闯出东门，跑往山西，冯军败后，才回西安。解放后，一度任西北大学教授，西北军政委员会教育部副部长。

我初识党先生，早在1930年于西安南院门世界书局当学徒时。一天，先生来买《文字学大意》，只见其身材魁伟，肩披斗篷，双目炯炯，长须当胸。1943年，我执教合阳中学，间去灵泉村，获先生家书五封。后访清初名贤王山史遗族于华阴，草编《王山史年谱》，以资料不足，仅至五六十岁而止。次年，我曾以所写所见，致书先生请益，来信除以宋人徐复相勉外，期望早日写成《王山史年谱》，为关学增光。此后有问必答，所赠条幅上，有“神交十余年”一语，感愧实深!在我平生诸多忘年下交的学者中，以先生为最早的一位。

先生所著有《古文字学》、《华云杂记》、《晴梵诗集·甲集》、《先秦诸子思想》，所辑有康乃心《太乙子》，原序为王源所作。

杜聿明的一纸家书

冀迁运

1985年，我搜集文史资料时，从已故陕西省文史馆员常进南先生那里得到了杜聿明早年的一封亲笔家书的照片。今编《文史笔记》，谨将其手迹献给读者。

1935年，杜聿明任蒋军二十五师七十二旅旅长时,因与师长关麟征不睦,受到排挤。关虽明将杜荐升为副师长,实则去其兵权。在此前后,杜的从弟聿功要求杜聿明为自己谋一职业。杜聿明感到无能为力,便捎书述其难为之情。其书云:

聿功从弟:

古北口血战后曾以一部开平整理,于月初又赴前方,担任古北口右翼司马台至曹路口各长城防务,近来日军经数次阻击后,再未来犯,刻已成停战状态。

我弟来此目前尚不能有相当位置,因古北口后关师长虽经负伤,由兄一度代理师长,而人员均属仍旧,目前师长伤愈,回部队办事,兄只任空名义之副师长,毫无权力,与人介绍,明知无缺,何敢启齿!当此处境不同之时,我弟应在家对于公文国学多加研究,待来日兄稍有实职后当为弟谋一相当事业,盖因弟体弱目力较差,为军事当非所长,任书记文书等职尚相宜也。再者目前对日抗战飞机炮火轰炸之下,到处皆无安全,弟为伯母老生子,此刻贸然东来,恐使慈心不安,亦非孝之道也。

治申兄虽每欲外来,而兄为伊设想已久,皆觉无适当工作,因外间作事,非文必武,此二者又非治申之长,欲谋其他事务,则政府限令军人不得干政,虽欲力为亦无门可告,故再四思之实觉为之难也。

二兄前虽说东来,但以后并未得信,兄

意家事重于外务，将来弟若外出，则二兄万难分身，未知其日来意下如何？即致近佳！

伯母前请安

诸兄嫂姐妹不另

聿明手嘱

五月六日

1935年6月，中日签订“何梅协定”，华北军事形势大变，二十五师奉命驻防宁夏，杜聿明借口挂冠而去，脱离二十五师去了南京。在南京偶遇老上司徐庭瑶。徐当时受命组建机械化师，即荐杜聿明出任装甲兵团团长。后来抗日战争紧急，杜聿明忙于军务，无暇过问家事，为弟谋职之事遂不了了之。

于右任来汉过褒中

徐清廉

1941年国民政府监察院长于右任来汉中时，我求学于陕西省立汉中师范，农历九月底，校长傅鹤峰率领全校师生去褒河口迎接于右任。当时锣鼓喧天，山鸣谷应，于右任穿着长袍马褂，坐着小轿车，慢慢驶过石门。国民党的汉中专员和褒城县长，陪着于右任参观了摩崖石刻，如东西两壁的“石门颂”和“石门铭”。老人下车登木筏，游赏了石门南褒河激湍飞花的“衮雪”处(传“衮雪”二字为三国曹操过此触景而书)，并纵览了江流有声，断岸千尺的鸡头关阁道。于右任爱好书法,景仰魏武之墨迹,颇有留恋怀古之情。

于右任接见学生时,校长傅鹤峰陪行导引,我们看到于右任的平易近人，犹如其书法的随性自然。接着，老人来到褒城对岸的河东店小镇,早有准备好的讲台,他以激动的心情,健步登上讲台说:“我见到这么多蓬蓬勃勃的青年,心里很高兴。你们是汉中发展的希望,是国家未来的希望。”老人声音宏亮,慷慨激昂,台下的听众和青少年学生都很受感动。我至今记忆犹新。

张钫创办西北中学

沈 楚

1943 年,张钫(字伯英)鉴于旅居西安的河南同乡日益增多,为解决他们子弟的求学问题,发起创办了西北中学，以表达他为桑梓排忧解难的心愿。

张钫是河南新安县铁门镇人，早年旅居西安,是同盟会会员,也是新军中革命党的首领。1911 年 10 月 22 日,西安响应辛亥革命光复时,他是领导西安起义的重要人物之一,1918 年担任陕西靖国军副总司令(于右任为总司令)。他定居西安后，兼任旅陕河南同乡会理事长。河南同乡会馆就设在南院门西边的五味什字街，即今西安第六中学校址。

西北中学创设在河南同乡会馆。初创时，办学经费十分困难，张钫除了自己带头捐助一部分外，还向在西安河南籍的富商募捐。他们中有的是从河南逃荒要饭到西安后发家的。在潦倒落魄时，张钫也曾资助过他们：或介绍做个小生意，或拉个洋车(即人力车)等。饮水思源，只要张钫一开口，他们也乐意解囊。除此以外，为了筹措办学资金，张钫还亲自回河南邀请豫剧名角常香玉、崔兰田到西安义演。在他的筹措草创下，1943年，西北中学才初具规模。张钫自己担任了该校第一任校长。初成立时，有学生百余人，教职员工二十多人。

后来，张钫到南京任职，西北中学的校务由其弟张熔负责。每当他从外地回西安时，总要到西北中学去看望师生们，而且还到每位教职员工家中慰问，解决他们的困难。逢年过节，不论他是否在西安，都要宴请全校教职员工。

西北中学一直办到建国初期，后来由西安市教育局改名接收，即今西安市第六中学。

何文鼎在内蒙

绳景信

何文鼎，陕西省周至县人，黄埔一期毕业。抗日战争初期曾任西安警备司令，旋任国民党第二十六师师长，率部到内蒙古伊克昭盟参加抗日战争，不久升任军长。他的司令部设在伊盟中心战略要地的桃力民。

何文鼎中等稍矮身材，浓眉，眼稍暴露，有神，穿布军服，平易近人。桃力民南面不远是毛乌素大沙漠，北边不很远是杭锦旗的库布齐沙漠，地处荒原。我们公余之暇，时常下象棋消遣。他善用炮，屡次胜我。后来我用马、炮拼去他的炮，使其失去赖以取胜的武器。他有时悔棋，不愿丢炮，我迅疾拿去他的炮，两人大笑。

他的伙食很简单，每天是糜米稀饭，锅盔(一种大个烧饼)，豆芽，咸菜，辣椒面。但在艰苦地方，这还是好食品。

宁夏省主席马鸿逵赠送他两匹高大的黑色伊犁马。有一天下午二时，他邀我各骑一匹在荒原赛跑，他在前，我紧追在后，马跑得很快，只觉两耳生风，使我提心吊胆。赛马完毕，何的神态却如平时。

他的部队军粮靠从五原、临河运来供给。路

远,还要通过沙漠,运输困难,需要由杭锦旗王公派骆驼使蒙民代运军粮。他派去的人,因蒙古王公风俗,门外挂红绸子就不会客,碰壁而返。有一天,他托我到杭锦旗找王公兼任骑兵保安司令色登多尔济替他派骆驼运粮,我去替他办妥。他深感驻军有与蒙古军政首领联系的必要,素知我和色登多尔济是好朋友,通过我和色说好,我们三人结为异姓兄弟,色为大哥,何为二哥,我为三弟。从此,他和杭锦旗建立了良好的军政、军民关系。

蒋纬国在汉中

张文德

1945年4月,蒋纬国被胡宗南调往当时驻扎在汉中的青年军二〇六师。他自愿到六一六团。我那时任六一六团代理副团长,蒋纬国担任第二营少校营长。自此,我们之间的工作接触也就频繁起来了。

蒋营长到职后,非常注重部队的常规性训练和纪律教育,而且以身作则,严格要求。给我留下最深的印象是:每天清晨他带领二营出操时,自己总是一件背心,一条裤衩,一双胶底布鞋,显得很精神。集合整队也不用军号,而是习惯亲自吹哨音。他说,哨音传给士兵一种紧迫感。有时候别的营才开始出操,他已带领二营出操回来了。提前早操,他也报告团部。

平时,蒋纬国行止都带有军人的气概和固定姿态。他严格要求部下不许颓唐委靡,不许违犯军纪。他有几句话我至今记得:“下对上有礼,不要近谄;上对下有理,不要近傲。”每遇部下上他房间,报告进屋后,他立即起身还礼,入座后,再问事。他对上级也很尊重,每到我室来,先叩门打报告,进屋后敬礼,让坐才坐。他的敬礼方式很特殊,五指不是指向太阳穴,而是由额中正向前伸。我有次问他,他笑着说,可能是留学德国习惯了这样敬礼吧。

有一次,我在团检阅台旁边看书,听见蒋纬国正向一些青年官兵宣传:“世界上现在有两大阵营,一个是法西斯阵营,一个是民主阵营。我们现在正在较量,当前我们的任务是打日本。”同事们私下交谈,都觉得蒋营长是一位忠于抗日的青年爱国军人。

汉中任职期间,蒋纬国还每月按时给他住在兰州的养母姚氏寄钱和富强粉。平时他和我闲谈中,也流露过对养母的爱戴之情。

1945 年 7 月,蒋纬国夫人石静宜到汉中,住在原飞机场家属宿舍,共五间平房,屋内摆设简单。蒋纬国每个礼拜三、六外宿假时才回去,平时很少离开营房。外出或回家,十有八九骑脚踏车。

同年 12 月的一天,蒋纬国借为其父祝寿之机,特邀我们到他家作客。寿糕是特意从西安的上海食品店运来的，石静宜亲自为我们切寿糕。在这次聚会中，蒋纬国顺便告诉我们，他就要离开六一六团，就要离开汉中了，谢谢大家大半年对他的教育和帮助。言词中充满依依不舍之情。

临走的那几天，蒋纬国一一登门向同事们辞行。他对我说："深深感谢在汉中对我的关怀和帮助，以后有机会，一定再到汉中来看你。"走时，重庆特派"美龄号"飞机来接，中尉张慕飞、上尉晁国璧为他押送行李去重庆。

听张治中讲演

张明濯

1946 年我正在兰州西北师院数学系读书。这时期，西北五省统由驻在兰州市五泉山的西北行辕主任张治中管辖。

金秋季节的一天，张将军轻车简从，莅临学院大礼堂，给全体师生讲演。他端庄地站在台子中央，以炯炯的目光注视了全体师生之后，严肃地声明一句："我今天的讲演不准登报。"在场的记者，个个注意听记。他讲的内容使我最感兴趣，也是听众掌声经久不息的一段，即国共关系。当提到毛泽东、周恩来、朱德等的称谓时，稍微停顿了一下，说："他们都是共……共什么？这字是'匚'里面有一个'非'字，我不认识，反正是共产党同志吧！”这是多么亲切的称呼!在那刀兵相见的严峻日子里，讲这样的话，是要冒很大风险的!接着他又勉励学生，要珍惜大好时光，认真读书，还殷切期望大家要艰苦朴素，经得起艰苦生活的磨炼。张将军特意举了自己教育儿子的生动例子，他说：“我有一个儿子，在美国大学读书。一次他对我说，许多同学都有私人小卧车，偏我没有，人家老笑我。说我在中国是将军的儿子，难道连个小卧车都没有?我一听儿子这样的话，气得本来快好的感冒又加重了，我痛骂了他一顿。我说，你是中国人，中国大学生坐小汽车上学的有几个?你心目中有没有中国的老百姓?将军的儿子有什么了不起?你想坐汽车，坚决办不到。”

张凤翙戏解“博爱”

翁维谦

国民党陕西省政府主席祝绍周一日宴请社会名流，张凤翙应邀赴宴。席间，张应主人之请即席讲话，当讲到“博爱”一词时，张凤翙说：古来讲“爱”的人很多，墨子讲兼爱，孔子、董仲舒讲仁爱，孙中山讲博爱……“博”字左边是“十”，像是农家妇女拧绳时用的“波掉”，要匀，要平。“愛”字“心”在中间，无论讲什么爱，心必须放在中间，心不公不平是行不通的。

徐朗西与陕西旅沪同学会

戴　天

1947 年春，上海复旦大学陕西同学会和交通大学陕西同学会为了扩大学运力量，联合组成陕西旅沪同学会，邀请徐朗西担任名誉会长。我当选为理事会执行理事。在会上初次和徐见面，没来得及交谈。同学会的绝大部分成员积极参加了反饥饿、反内战、反迫害斗争。不久，我在国民党当局的大逮捕中被捕，先后被囚禁于上海警察局蓬莱分局和龙华曹家花园（今漕泾公园）的曹氏宗祠中。

我们被捕后，上海学联立即组织营救，徐朗西多方奔走。我虽然获释，但被勒令 48 小时内离开上海。出狱那天，我们的车开动后，发现有一辆小车尾随，我们立即决定到徐朗西处再设法甩掉这个“尾巴”。

这是我第一次进入徐的寓所。房子陈旧，陈设简朴，谁也看不出它的主人竟然是上海滩上赫赫有名的帮会头目。徐老当时已年过七旬，瘦削矮小，关中口音未改，音调低沉徐缓，双目炯炯有神，隐约可见他的精明和干练。我当即向他表示谢意。老人感慨地说：“娃呀！你受苦咧！现

在国民党当官的大都不是好东西。潘公展当年被北洋军阀抓去,是我出面保出来的。这次我让他保你出狱,他理都不理。我去找吴国桢,这个滑头说他本人可以帮忙,就是宣铁吾(淞沪警备司令)不好缠,叫我自己去找。最后我和于胡子(右任)通了电话,我们两人硬是压着严庄(江苏监察使,也是陕西人)出面作保,才把你保了出来,就这,宣铁吾还要你两天之内离开上海。我已经和陈柏生(即陈树藩,当时寓居杭州,闭门诵经)联系好,你先去杭州,由他介绍你转入燕京大学新闻系学习。"说完又从怀中取出一叠钞票递给我:"这是路费,别嫌少,留着慢慢花吧!"当我接过一叠还带着体温的钞票,望着这位和我只有一面之交的老人,不由得涌出了泪水。

当老人知道还有特务尾随我们时,果断决定让我出后门脱身。他亲自送我到后门口,深情地说:"你是个好娃,将来会有出息,好好干,给咱老陕争口气!"我很担心我的脱身会给老人带来麻烦,老人会意后哈哈一笑,爽朗地说:"蒋介石都不敢对我咋样,这些毛毛贼算个什么,你放心!"

我就这样摆脱了特务的追踪,顺利回到革命队伍。

李茂堂智赚胡宗南

辛介夫

胡宗南是蒋介石最信赖的心腹之一，对蒋忠贞不二，惟命是从。抗日战争期间，他拥兵三十万，盘踞关中，专门窥伺当时边区政府和八路军的动静。他专横跋扈，绰号“西北王”。

胡某为人，志大才疏，早有定评。这种情况，蒋也了解，他曾对人说过：“宗南无才，但宗南可靠。”大凡无才的人，往往流于愚昧，气度狭隘，诸多忌讳。胡某也不例外，有一事可以为证：

西安解放前夕，胡部土崩瓦解，草木皆兵。胡因召开紧急会议，与所属官员计议，准备退入终南山休整，伺机再出。这个计划果能实现的话，将给我军留下后顾之忧，对解放大西北和进军大西南造成一定的不利影响。胡的幕僚李茂堂，系我方地下工作人员，深明此理，便设法进行阻挠。他在会后私下对胡说：“退入终南山的办法不怎么妥当，请长官三思。”胡问何故，李说：“别人都可以退入，独有长官您不能退入。”胡更不解，要李明言。李说：“难道长官忘记了落戴山的惨痛事件了吗？我完全是为长官着想的。”胡听后，仿佛触电一样，大为震惊。但又故作镇静地说：“你的意见很好。”于是放弃了入山的计划，狼狈西逃。

按：落戴山是国民党军统特务头子戴笠坠机身亡的地方，人们说他犯了地名的忌讳。终南山含有宗南终于此山的意思，所以犯了胡的忌讳。

蔡元培、李大钊为龙潭老人撰墓志铭

卢　鹰

在碑石荟萃的西安碑林，有一通立于二十年代的龙潭老人杨耀海墓碑。此碑不甚高大，书法亦非上品，碑主之名更不见经传。但细审其碑文及题铭撰写者，却赫然同列着现代史上著名风云人物蔡元培和李大钊的姓名。

杨耀海是陕西华县龙潭堡人，出身农民，生性淳厚，以耕读传家，于1922年2月病殁。其子杨松轩是陕西近代颇有名气的爱国教育家，其孙杨钟健是我国现代杰出的古生物学家和地质学家。时杨钟健还是一个二十多岁的青年学生，正在蔡元培任校长、李大钊任图书馆主任兼经济学教授的北京大学攻读地质学。他不但学业成绩优异，而且积极参加爱国民主运动，曾主编过多种进步刊物，因此深得蔡、李二人的喜爱，被视为未来的栋梁之材。杨钟健平日对这两位师长的学问与为人也佩服之至，故在祖父病殁后他便请求两位师长撰写碑文和题铭。当他登门说明来意后，蔡、李二人都欣然应允动笔，并分工由蔡拟就碑文，李撰写铭文。时隔不久，文铭皆成，由杨钟健径寄家中。其父杨松轩如获至宝，立即请人选石起碑，书刻碑文及题铭，立于龙潭杨家祖茔杨耀海墓前。

蔡元培写的碑文五百余字，朴实厚重，毫无虚誉溢美之辞，其中尚有杨耀海生前曾遭恶豹袭击而伤面破相等语，不怕触“为贤者讳”之忌。李大钊写的铭文风格尤为独特，乃是仿楚辞而作的古体诗：

公实炎农之苗裔兮，宅居于华之龙潭。
躬耕耘于陇亩兮，神游乎朴茂之自然。
励子孙之学行兮，宏庠序于闾阎。
缅树木树人之前修兮，永垂遗爱于百年。

徐世昌、宋伯鲁书联相赠郭长城

霍世春

郭叙杰现珍藏其父郭长城生前所收藏名人字画十数轴，其中书法艺术珍品有民国初期曾任大总统的徐世昌所书赠一联二轴，有清末民初颇有声望的政治家、书法家宋伯鲁所书赠一联三轴(包括堂联)，另有晚清湖广总督张之洞所书一联二轴。

郭长城(1883—1947)，字维藩，号介人，佳县乌镇人。清光绪三十年(1904)考入榆林中学堂，三十三年(1907)因家贫辍学，从事桑梓教育事业。以后积极支持四个子女先后赴延安等地参加革命工作，他自己晚年也投身革命事业，为党做了许多有益的工作。他生平热衷读书，喜收藏书画作品。

徐世昌书赠之联，得之于民国十年(1921)，郭在北京地方自治模范讲学所学习期间。一日，时任大总统的徐世昌为拉拢地方政治势力特来到讲学所看望师生，以示关心。席间，郭恳求徐赠幅墨宝，徐欣然应诺。次日，徐派人给郭送来一联二条幅，写的是：

维藩先生属：

直度三古横抗八极，

友取十室书拥百城。

徐世昌

意勉郭长城做一个有宏远抱负和具有以书海求知志趣的国家栋梁之材。其字势雄逸洒脱，苍劲挺拔，堪称佳品。

宋伯鲁书赠之联，得之于民国十二年(1923)春，郭长城当选陕西省议会议员后。一日，郭来到宋伯鲁的寓所拜访。席间，宾主开怀畅谈家事、国事，意趣相投。郭便敬求宋赐墨宝，宋即席挥毫写下：

维藩先生雅正：

家余四壁书侵座，

马瘦三山叶拥门。

芝田宋伯鲁

表达了宋伯鲁一介寒儒，乐于过清淡生活的志趣。其字神劲秀，清朗，潇洒，飘逸，实属书法艺术珍品。

张之洞所书之联，是20年代初郭长城在西安做陕西省议员时所购获。其联是：

寄怀楚水吴山外，

得意唐诗晋帖间。

其书风典雅流丽，飘逸洒落，均为有价值的珍品。

党晴梵"围城"中撰《论书》

祁恒文

民国十五年(1926),军阀刘镇华所部镇嵩军,围攻西安城历时八个月之久。这期间,战火弥漫,交通阻隔,绝粮断水,疫病流行,西安人民处于水深火热之中。在此异常困苦的岁月中,嗜古成癖的关中学者党晴梵"日处烽烟中,郁郁寡欢"。他痛惜光阴流失,不堪忍受战乱之苦,一头扎进书房,对往昔珍藏的"商周鼎彝、秦汉碑碣古籀篆隶文字,以及魏晋唐宋明清正楷行草墨拓真迹,时抚摩之",精心整理研究,写成《论书》绝句一百首。

《论书》别开生面,以七言诗形式,将上古至明清四千年来的各类书体、各家传承及书法优劣,分条论列,括其梗概。在每首诗之后又以小注形式指陈演变,考订说明。如论籀篆书体诗云:"典章文物稽成周,大篆繁丽太史籀,车马同工诗句好,岐阳石鼓足千秋。"旁注:"周宣王时太史籀作大篆十五篇。唐人获石鼓于凤翔,以文考之当为宣王田猎之作。"评元人赵孟頫书云:"目空唐宋接羲之,松雪斋中天赋奇,莫问王孙家国事,只将心力付乌丝。"旁注:"赵孟頫实集唐宋书家之大成者。"论及明清书家时,党氏慧眼独具，特举出秦晋书法名家王弘撰与傅青主，诗赞："砥斋、青主俱神奇，志洁行芳世所师，华下雄书题鹿马，太原狂草印沙泥。"注："王弘撰善榜书，每自署鹿马山人；傅山善行草，书有锥沙印泥之妙。"

《论书》体裁新颖，文词典雅，采摭赅博，评论精当，实是一部简明的中国书法史，可资书艺爱好者和治书法史者参阅借鉴。

康有为不矜细行

陈崇凯

民国十三年(1924)初，正在西安咸阳游览讲学的"天下名士"康有为，突然因卧龙寺换经一事酿成纠纷案，被陕人街谈巷议，口诛笔伐，落下"圣人盗经"的恶名。其原因固然很多，但其中之一，是康夫子因酷爱古籍文物而行为不慎。这里仅补一例，咸阳市书协会长、泾阳县政协副主席孙迟根据其父生前多次讲述，当年康有为在专程赴咸阳刘古愚家天阁村和烟霞草堂拜谒后，从礼泉唐昭陵南下，欲赴兴平汉茂陵游览。途中曾在花花庙寨子的古庙停留，无所得，路经泾阳孙家村东时，见村外有一大庙，听说内有一大铁醮炉，游兴又起，遂进内观赏该炉并四处寻看。当看到庙内无量佛莲台上的铜香炉后，发现是圆形、三足、双耳的大明铜炉，非常赞赏。在该庙稍事休息后，临走时即顺手牵“羊”，将这只铜香炉装入行囊。据云该炉是世所珍贵的“宣德炉”。孙迟说起此事，颇多感慨，并调寄《乌夜啼》填词一首志之。词曰：

盛誉当年壮举；尴尬晚来丑行。传言“换经”风雅士，贪枉苦经营。漫许文章千古；空有书法擅名。若是学问成货贿，值此半炉铜。

小豆包属对煞风景

辛介夫

李百龄先生字寿亭，陕西三原人氏，心怀匡济，学养兼人。杨虎城将军主陕时，曾任教育厅长，兴利剔弊，颇有政声。因曾参与双十二事变，为旧官场所忌，宏图难展，乃退居故里，以书史自娱。抗战期间，曾一度执教于陕西省立三原中学。时余亦适在该校任课，因得识荆。先生涉世久，阅人多，熟悉地方掌故，又诙谐健谈，故人多乐与之游。尝为同仁讲述“小豆包属对煞风景”轶事一则，寓庄于谐，发人深省。及今思之，言犹在耳。兹本拾遗补缺之旨，记其梗概如下：

扶风窦某，姑隐其名，自诩为汉大将军窦宪之后。祝绍周主陕时，曾夤缘要职，为之聚敛，因

亦致富。有子名苞,年十一,体态丰腴,面容白皙,人皆戏以小豆包呼之,就读于完小五年级,成绩平平,中才也。窦某舐犊心切,望子成龙。重金延聘举人朱某为西宾,设馆于家,补习日课,兼授古诗。年终散馆,设宴酬师,并约其近邻吴某作陪,吴亦一清朝廪生。席间宾主频频举杯,谈笑甚欢。窦苞侍立席侧,执壶上菜。吴某抚其顶而问之曰:“记得几许古诗矣?” 苞对曰:“《神童诗》十五首,《千家诗》三十首。”吴夸之曰:“不少! 不少! 能属对否?”苞对曰:“能! 天对地,雨对风,大陆对长空,山花对海树,赤日对苍穹。”吴止之曰:“足矣,足矣,神童也!”因向朱某曰:“此足证朱老教导有方,佩服!佩服!”朱正含肉丸在口,乃急咽之,嗫嚅而言,曰:“非也,此实东翁福荫所致,老朽岂敢贪功。”窦某闻之,意颇自得。吴某善窥人意,素以吹拍著称,欲同时取悦于窦、朱及苞,收一石三鸟之功,因问苞曰:“吾出一字,汝试对之,可否?”苞曰:“诺。”吴适夹鸡腿一条,尚未及唇,乃冲口而出曰:“鸡!”苞立应曰:“凤!”吴投箸于案惊呼曰:“妙! 妙! 真奇才也! 有其父必有其子。朱老发蒙之效,不意竟如此其神速也! 吾出一鸡,彼对一凤;吾若出一骆驼,彼必对一麒麟矣。”言毕大笑,朱、窦亦大笑。苞见状,惶惑不解,以为诮己也,因高声辩曰:“凤何物也?麒麟何物也?吾所言者,鸡粪也。有鸡必有粪。”扶风乡音盖读“粪”如“凤”也。三人闻之,瞠目相视。吴某尤尴尬,无以自容,双手抚胸,伪称心病突发,离座而去,席亦遂散。

杨笑天与《新生晚报》

段明灿

杨笑天，山西沁县人，青年时在太原上学，加入同盟会。辛亥革命时在山西策应独立。阎锡山投靠袁世凯后，他和苗培成(告宝)等发动“反阎”运动，是山西青年学生“反阎”运动的领袖人物。阎锡山下令通缉，他逃往北京、天津、山东，苗培成则去南京。“反阎”运动夭折。

抗日战争初，杨笑天奉母携眷，来到西安，在西四路路北买下六亩地皮，建西式住宅一处。临街一排为会客厅、客房，中为六角套式二层楼房，后有花园，东西两侧有平房，大门朝南。西隔壁是上海申新纱厂驻西安办事处。当年这条街清静幽雅。1940年，杨笑天在这里创办《新生晚报》及新生印刷厂。该报四开大小，辟有《抗战风云》、《三秦大地》、《西北风情》、《川陕后方》、《长安今昔》等栏目，每星期天出一版副刊《新路》。

杨笑天是学历史的，家中藏书较多，订有各种报刊杂志。他本人每天勤于读书、写文，亲自管理报社及印刷厂，主持编辑部工作。聘请北大毕业的靳仙洲、中大毕业的一了、北师大毕业的章明等为编辑，美术、木刻也有专人，还特约了

不少记者、通讯员等。所以,《新生晚报》办得活泼新颖,趣味广泛,内容真实,为广大读者所喜爱。1945年初,因报道了“军官总”(军官总队)和“青年从”(青年从军)的劣迹,被捣毁停刊,再未复刊。

杨笑天是位史学家,治学严谨,论必出新,曾和晋南“反阎”派景梅九(定成)先生交深,且均致力于“反阎”的活动。有《笑天录》、《三晋论衡》、《逃亡记》等著作。事母甚孝,其母病逝后,即封葬于后院,每天早晚拜祭。交友笃信,言寡语直,待人平等,不分贫富贵贱与年齿。很注意培养青年,救济穷困学生。

1947年, 苗培成 (国民政府监察院监察委员)来西安视察,下车即往访杨笑天,重叙昔日友情。杨曾赋诗云:“昔年同窗共反阎,为求三晋有新天。逼令出逃各南北,你官我民握手欢。”1948年末,应张治中将军及马步芳、易君左等邀请去兰州,不久病逝。杨笑天在山西曾被誉为“太行才子”,一生坎坷,事未成而名犹在。

关麟征的“丘八诗”

关梧枝

抗日爱国,战绩卓著的关麟征将军,不仅精通兵法,且善于写诗。他写的诗,无一定格式,自称“丘八诗”派。

古北口大捷后，他写了一首七言古诗：“半壁河山狼烟中，烽火照红北地冰。长城之外牧寇马，铁蹄咫尺危古城。大厦将倾于汤火，神州存亡瞬息中。岂肯折膝求苟安，站直抛颅笑颜生。炎黄子孙多傲骨，我今抗日三请缨。”他以通俗易懂的语言，写出了中华优秀儿女不畏强暴、视死如归的英雄气概。

上海“一二八”之役，他奉调至沪宁铁路驻防。一次谒蒋，知有人进谗言，心甚恶之。归途中，看到火车奔驰，有感于官场派系倾轧，触景生情，便藉诗抒怀：“怒苦闷愁，随着车轮走，如疾风一样速。莫道是坦途，坦途中也会有失足，怎能糊涂?”寓愤懑于字里行间。

1946年，关自滇返陕，在一次招待陕西名流的家宴上，有人问起他有关湘北大捷之事，顿时勾起了他对当年硝烟弥漫、战火纷飞岁月的回忆，遂罢盏诵诗曰：“马首悬新月，三军气若虹；寒夜茶当酒，星斗落杯中。”这首诗是第九集团军的行军歌曲，歌词的意境开阔，有气贯长虹之势。

朱自清印章不用篆

陈　青

陕西省文史馆名誉馆长高元白先生，收藏

着一幅我国现代著名作家和学者朱自清的墨迹。近日，专程拜访高先生，看到了这幅珍品。它是件条幅，看上去颜色已有些泛黄，但仍十分精美。字是写在很考究的撒金宣纸上，绢裱。字体为正楷，端庄俊逸，朴实无华，有着很浓的书卷气。正文写着这样一首诗：

万里家山一梦中，吴音渐已变儿童。
每逢蜀叟谈终日，便觉峨眉翠扫空。
师已志言真有道，我除搜句百无功。
明年采药天台去，更欲题诗满浙东。

正文左边题款："高元白先生属书"。落款"朱自清"，名下有2厘米见方的朱文印章，刻有"朱自清印"四字。有趣的是印章一反书法家用篆字印章的习惯，而是和正文一样，用方方正正的楷体刻成。

据高先生说，30年代初期，他就读于北师大，在清华大学执教的朱自清教授被聘请担任高先生等的现代文学教师。由于两人对白话诗都很感兴趣，师生之间便有些交往。于是高先生请朱自清写了这幅字。朱自清很谦虚，认为自己不是书法家，字也写得不好。其实他的字叫人看来就如读了他的《荷塘月色》一般，沁人心脾。朱先生对印章不用篆体字也有别见，他认为，印章是一个人的信物，要取信于人，首先得叫人看懂，不能要求今人和古人一样。

延安五老与怀安诗社

张石秋

抗战时期，在延安待过一段时间的人一般都知道延安五老。他们是：林伯渠、吴玉章、董必武、徐特立、谢觉哉。吴老是抗战开始时从国外回来的，林、徐等四老都是经过长征的领导干部。老同盟会员、1935 年在南京中山陵剖腹欲以死抗议蒋介石对敌妥协投降政策的续范亭将军，曾在 1942 年写下“延安五老”长诗，对他们作了描述：“徐老当时墨子徒，赤足麻鞋又健步。公家有马不肯骑，不要勤务来照顾。口若悬河声如钟，苦口婆心难遏住。携带两个冷馒头，一天开会好几处。”徐老年龄最高，在长沙学校是毛泽东的老师。长征时众人认为他年高难历艰险，劝他留下，他坚决不从。途中他和战士同艰苦，到达陕北瓦窑堡时，他仍然足穿草鞋，腰系草绳，俨然一鹤发老兵。他到处宣传以科学民主救国，滔滔不绝。续公诗讲到林老：“林老奇逸人中龙，风流潇洒有大度……童颜鹤发非导引，公余且作长征赋。漫天风雪巡洛鄜，怀古不忘杜工部。”林老是陕甘宁边区政府主席，经常出巡，深察民情。续诗盛赞吴老、董老：“吴老聪明复睿智，好学深思尤攻《易》，指点八卦太极图，文字源流详古义。”“只有董老未

瞻韩，参政会上一支柱。谠论一发四座惊，各党各派齐拥护。”谢老与续公识面最早，诗中说：“先生理政务精敏，具体详尽最可贵。”谢老经常不带警卫，一人骑驴，奔波于延河道上，人们目为不曾倒骑驴的张果老。五老的精神品格，续公的古风诗作了概括而传神的写照。

五老是卓越的政治家，也是造诣深邃的诗家。在那抗战烽火炽焰漫天的岁月里，他们胸臆中激荡着对敌仇忾，卫国拯溺的火热激情，在硝烟战火中，吮毫抒怀，以诗歌发鼓舞战斗的呐喊。1941 年 9 月 5 日，林老邀请寓居延安的耆老作“延水雅集”，会上他倡议成立怀安诗社。命名“怀安”的用意，林老曾说：“边区建设民主政治，必须使老者能安，少者能怀。”《史记·景帝赞》中说：“汉兴，孝文施大德，天下怀安。”社名，是切合边区的实际的。诗社无机构，无成文章程或定期集会，凡经常以诗词投社的人就算社员。诗社成立时林伯渠首唱七律云：

十年挟策费调停，待整金瓯拱宿星。
抗敌计无分畛域，匡时论共契兰馨。
边城重寄期安堵，盛会嘉宾喜满庭。
四野风多秋气健，及时樽酒慰遐龄。

当时与会者和诗甚多，社讯传出，朱德、叶剑英、吴玉章、徐特立、董必武、续范亭、陈毅、陶铸、吴芝圃、古大存都有诗寄到诗社。后来陆续寄诗到社的有五十多人，诗歌达二千五百多首。诗社社长为李木庵。

熊文涛怒斥专员魏席儒

黎顺清　王德润

1943 年 4 月 4 日是省立汉中女子师范学校的校庆，校方邀请地方行政首脑，各中等学校校长，耆宿名流参加盛会。汉中专区行政督察专员魏席儒首先讲话，以训斥的腔调对大家说："你们汉中有什么人才！西北联合大学迁来五年了，汉中只出了三个讲师，连副教授都没有，其他方面专门人才更谈不上。你们有什么了不起？"气焰嚣张，使听者异常震怒。这时坐在主席台上的熊文涛校长起立发言说：人才如不在平日加意培养，只一味指责一地不出人才，这是古人说的"非愚即诬"。讲到这里，他高声朗诵曾国藩的《原才》篇：

> 风俗之厚薄奚自乎？自乎一二人之心之所向而已。……今之君子之在势者辄曰，天下无才。彼自尸于高明之地，不克以己之所问转移习俗而陶铸一世之人，而翻谢曰无才，谓之不诬可乎否也？

魏席儒听了熊文涛的发言，气急败坏，带着威胁的口吻说："熊校长，你要记住今天的话！"熊文涛以战胜者的姿态庄重地回答："我忘不了！"与会者无不欣然暗笑。

李十三的“四友”

高　泽

李十三(芳桂)是清乾嘉时期的戏剧家,死后已百余年,还有人愿和他交心结友,民间传为佳话。这在戏剧史上是有独无偶的了。

李十三的“四友”,都是清光绪时期渭北吝店街人,依年龄长幼顺次排列为:秀才蔺杰臣,景贤书院(在渭南下邽,创建于明朝)教师蔺国英,商人蔺华堂,附生姜龙田。他们四个都酷爱李十三的“十大本”戏曲,情趣相投,田间街头相遇,开口不离“十大本”,或饭后茶余相邀聚会,以谈论“十大本”为快意,还边议论边唱。姜龙田善弹月琴，为他们伴奏。但有时意见分歧，也争得面红脖子粗。姜龙田年轻性急，把桌子拍得擂鼓一样，杯子里的茶水雨点一样乱溅，吓得家里人站前立后。末了，看见他们又是笑脸相约："明天咱们继续辩，谁不来咱们就上他家去！"他们的热肠冷语，家里人不理解，但还是松了口气。天长日久，他们拱手明愿："咱们四个人，就做李十三的死友吧！今后就以'四友'为号，也是人生的一大乐趣。"

姜龙田提议：《万福莲》第八回《袁谢定交》里，谢瑶环在公堂审问袁华时，一见钟情，有四句唱词："谢瑶环笑嘻嘻离了公案，提着衣向丹墀移动金莲，走向前又觉得桃花满面，羞答答将牙儿衬着衣衫。"总觉着词少情未尽，应该来一大段唱才过瘾。蔺国英趁劲鼓励他重编唱词。姜龙田煞费苦心地不知熬了多少个夜晚，浪费了不知多少纸张，也没编成。临终时他向三个人说："如今我才信服，'十大本'的唱词，增添一个字都是衍文。"

"四友"都同样地酷爱碗碗腔皮影戏，也都有怪癖，非"十大本"不看，只要听说"一杆旗"(善唱"十大本"的艺人杜声初)在哪个村子演出，不管路多远，都要赶戏。大个子蔺杰臣，口含三尺长的卷烟袋，在前领路。蔺华堂有肺寒疾病，清鼻涕不断。蔺国英是气管炎，扯风箱一样，时时咳嗽。姜龙田脚上生鸡眼，手拄拐杖，落在后边，一步一声地呻吟。每当观众看到"四友"来到戏场，便忙向台口呼叫："旗啊，四友到了，还不开

戏！”“一竿旗”乐呵呵地边向“四友”打招呼，边说：“既然他们到了，我喝了这碗茶就开戏！”

戏剧头盔制作家

陈建昌

陈学文，戏剧头盔制作家，洋县谢村镇东韩村人，生于清光绪元年(1875)。幼时学艺未果，回家种田。二十岁拜师学做戏剧头盔（专做硬头盔)，人称“头帽客”或“陈头帽”。

陈学文的头帽，用皮纸壳，浆糊须窖地一至三年始可用。褙纸壳时很少用牛胶，常以陈年浆糊加海胶、樟脑等防潮剂用之。头帽上雕出花纹，用琉璃粉涂刷帽脊。帽面罩大红金色，全以矿物质颜料涂之，十五年左右不损落、不变色。帽壳内全用生漆涂抹，可防汗、防潮。端置地下，帽上坐一人而不塌陷。帽沿技艺特绝，不论演员额颅大小，戴之均宜。美术装点，很少绒球堆缀，多以龙形、凤形、虎形、彩云图案，使其美观庄严，古朴大方。民国初年常有四川成都、广元、甘肃武都、陕西宝鸡等地戏班前来订货，当时以粮作价，每顶头帽售价一石粮食左右。

李桐轩创办易俗社

沈 楚

李良材字桐轩，以字行，清咸丰十年(1860)生于蒲城农家，靠父亲推车卖瓮的微薄收入进私塾就读。后来入三原宏道书院学习，接受新思想，萌发并确立了救国救民的志愿。

1902年李在同州创办求友学堂，向学生进行爱国主义和科学知识教育，深受学生爱戴。但因守旧派歧视，离职回蒲城编修县志。1904年他的两个儿子——约祉和仪祉考入京师大学堂，他赋诗激励他们努力学习，为祖国富强献身。1906年他加入同盟会后，更夙兴夜寐，利用一切机会向学生和民众宣传革命。辛亥年陕西起义之日，因与外省不通邮电，他不顾个人安危，冒生命危险前去湖北，为革命军互通消息。

李桐轩自幼爱好戏剧艺术，他的长相与常人不同：前额宽阔、深目、高鼻，眉间有黑痣，大如豆，且善辞令。1912年他与同事孙仁玉感到戏曲有移风易俗、提高民众觉悟的作用，发起创建易俗社，招收散居各地的民间艺人及一百多名学生分班上课，边学戏剧，边学文化，同时还修建剧场组织公演，是我省最早的秦腔剧团。

李桐轩既当易俗社社长，又当戏曲创作者

及评论员，还吸收名流如范紫东、吕仲南、李约祉(桐轩长子)等组成写作班子，写了很多具有爱国主义思想的剧本。

李桐轩以改革社会、启发民智为目的，用群众喜闻乐见的戏曲形式宣传民主思想，进行爱国主义教育，为易俗社的创立和发展流洒了辛勤的汗水，浇灌了这株艺术花朵。他毕生创作的剧本有六十多个，如《文山殉国》、《亡国痛》、《英雄泪》等，当时被誉为“新剧界之星宿”。可是，一些封建思想严重的人却讥讽他“与优伶为伍，有失体统”。李桐轩赋诗作了有力回答：

晨兴教歌舞，亲履粉墨场。
知我谓我乐，不知谓我狂。
结社得良朋，易俗传清响。
寻乐且偷闲，敢希识者赏。

《软玉屏》不同凡响

徐耿华

著名剧作家范紫东的早期作品《软玉屏》描述了一个曲折而又生动的故事。剧中有女主人害死丫环，最后丫环的冤情得以昭雪，女主人被斩首偿命的情节，公演之后，引起轰动。是时正值民国初年，蓄奴养婢之风甚盛，虐奴害婢之事屡见不鲜。范紫东从人道主义立场出发，呼吁尊重人权，宣传自由、平等、博爱，难怪要引起社会上的强烈反响。

《软》剧于1917年10月在西安易俗社排练上演。次年春某日，范紫东应邀赴"曲江春"餐馆便宴，座中有陕西省警察厅第三科科长者，诡秘一笑，对范说："阁下所编的《软玉屏》上演后，就把我给忙坏了。"范紫东大惑不解，忙问："噢！这戏与老兄有何干系？"科长见问，遂打开了话匣子："近三四个月本科所受理的案件中，有三分之一是告主人虐待奴婢的。我哪，先传那些被告的主人到案，问他们看过《软玉屏》没有，其中回答看过者居多，也有没看过的。我对那些没看过的说，你先把这戏看了我们再作处理。处理的办法大约是让那些年龄大的奴婢出嫁，年幼的酌情安排。哈哈哈……先生此剧造福不浅啊！"范紫东这才恍然大悟，笑了笑说："哪，啊！就是太对不起老兄罗！给您添了不少麻烦。"

1921年，西安易俗社带《软》剧赴武汉演出。以后，某京剧团来西安演出，该团著名女演员白芙蓉一看《软玉屏》就着了迷。无论哪天晚上，只要易俗社上演《软玉屏》，她总是放弃自己的演出，准时赶到易俗社剧场，手持剧本，认真研习，其状酷似一个上课的小学生。如此半年多时间，她返回南方，在当地登报声明说，自己已将《软玉屏》前后两本的所有唱腔、对白背诵得滚瓜烂熟，如有剧团想排演此戏者，她能为之导演。由于学戏的剧团较多，白芙蓉的导演费每本高达千元之谱。由是《软玉屏》被其他剧种移植，并在南方流行。范紫东先生欣慰地说:"盖南方蓄婢之风最盛。此剧亦颇对症也。"

欧阳予倩与刘箴俗

张静波

说到秦腔名演员,观众就想起了刘箴俗;说到刘箴俗,人们就自然想起了欧阳予倩。因为在20年代初,他们在武汉有过一段密切的交往。

刘箴俗(1903—1924),于1921年随陕西易俗社到武汉演出,轰动了武汉三镇,曾有南欧(欧阳予倩)、北梅(梅兰芳)、西刘(刘箴俗)之誉,有诗赞曰:

刘郎誉已满西秦,傅粉登场现化身。
易俗南来劳感化,新诗题遍汉口滨。

箴规自奉本斯文,谱入霓裳响遏云。
菊部于今能有几,梅欧鼎足成三分。

俗尘扫净气光昌,亦是兰芳亦蕙芳。
红锦缠头饶艳冶,男儿美比女儿妆。

此时,适逢欧阳予倩率领的南通伶工戏剧学校也在武汉演出,欧阳先生多次观看刘箴俗的演出,甚为称赞。他说:"箴俗是生就演旦角的材料,很少人能够及他。他的身材窈窕而修长,面貌并不很美，但是一走出来，就觉得有无限动人之处。他的表情极细腻，而轻重疾徐之间，最有分寸，真是刚健婀娜兼而有之。我所看见的旦角，所得印象最深的莫如箴俗。我敢说现在在北边几个有名的花旦，没有一个能够及他。”

欧阳予倩给刘箴俗以极高的评价，并与易俗社座谈联欢，他演出《大香山》全本招待易俗社和刘箴俗，易俗社演出《殷桃娘》答谢欧阳予倩和南通戏校。刘箴俗在汉口拍摄的《西施浣纱》剧照，欧阳先生亲为摆布身姿，且全部穿着先生的行头。剧照中刘箴俗扮演西施，头戴两朵小花，右手扶头，左手盘胸，身微前倾，婀娜多姿，把一个绝代佳人的风韵活脱脱地呈现在观众眼前。此照至今仍存。

陕南名丑田兴华

陈建昌

田兴华，生于清光绪二十三年(1897)，洋县溢水人。民国八年(1919)入“兴”字科班学艺，腹藏桄桄戏剧目很多，戏路宽，文武全才。在扮演洋县曲子戏丑角形象中，幽默滑稽，风趣感人，表演耍辫子、变脸是他的绝技。他后脑勺留着酒盅大的清朝小辫子，长二三尺，扮演《黑杀船》中丑知县戏弄民女时，被英雄张中坚大喝一声，河

水激荡，随着船身摇动，头上乌纱飞落。他把小辫子一端拴在乌纱帽内边，乌纱飞起，凌空旋转。在音乐伴奏中，他又配合在船舱站立不稳的踉跄表演，逗得台下观众捧腹大笑，拍手叫绝。在扮《三人头揭墓》中揭墓贼时，他用彩绸做个套圈，一端套在僵尸脖项上，另一端套在自己脖子上，相对旋转。边旋转边将死者衣服脱下套在自己身上，动作敏捷风趣，每旋转一次，就脱去一件衣服，同时变换一种脸色。他能变换喜怒惊忧等七种不同面孔，把揭墓贼发现死者身上锦缎首饰时的高兴劲和看见死者阴森面目时的恐惧心态表现得淋漓尽致。

田兴华在戏台上一时憨傻痴呆，一时机智勇猛。一会儿竖起脖子，收紧下巴，怒目裂眦，成为凶顽暴徒。一会儿紧皱双眉，缩着下颚，变成阴森小人。一会儿鼓起两腮，竖着两眉，真是一个大胖子。一会儿吸紧脸蛋，缩着眉眼，又变成两腮无肉的瘦子、千姿百态、变幻无常。

田的拿手剧目有《蒋干盗书》、《盗银壶》、《八姐闹馆》、《陈兴儿打娘》、《找双合》、《钉缸》等。

田兴华技艺超群，人品端正，一生未婚。1951年，师父白海录父子双亡，他主动到白家料理，以后自己开个小茶铺，赡养七十多岁的师娘，直到送终安葬。师娘死后，他即进了敬老院。

张翔初将军的爱好

段明灿

张翔初将军，在辛亥革命时响应独立，被推为都督，袁世凯窃国，张辞职闲居，曾任参政员。他一生最爱好皮影戏、碗碗腔，对秦腔、同州梆子、窝宫腔、弦板腔等也精通。任都督时曾划出地产，创立易俗社，改革秦腔，演新戏，建圆盘旋转舞台及布景等。易俗社是半学、半戏的秦腔科班，招收的学生，上完小学课程再专门学戏，培养了一大批优秀的秦腔演员。

张每年过生日，都要组织碗碗腔清唱班子，他自己会打板，会唱，再邀集些友人，或拉板胡或唱，从午到晚，连唱三天，祝寿友人及邻里街坊都来听戏。易俗社、三义社、正俗社、晓钟社等也来清唱秦腔、眉户戏。张翔初出门常是步行，安步当车，有时就边走边唱起来，常有人跟在后面听他唱戏。解放后担任副省长时仍非常爱戏，是位以爱戏终其年的人。

延安的第一架钢琴

张石秋

1941 年夏季一个朝霞绯映的黎明，在延河之滨一座旧式教堂旁的小屋里，响起了旋律动听的钢琴声。一些人晓梦惊醒了，精神也随之振奋了。何来琴声？亘古以来，这里没有这种琴声。它宣告革命圣地延安有了第一架钢琴。

当时延安的生活是极为艰苦的，物资供应困难，特别是用于教学、训练的一些专用器材更是异常缺乏。陕甘宁边区东临山西抗日前线，国民党军队从三面封锁，一张纸、一尺布都不许进来，且不时骚扰进攻，目的在于扼杀和困死边区人民，从而达到消灭抗日民主政权的目的。鲁迅艺术学院在这种困难情况下建院和进行教学。开始设戏剧、音乐、美术三系，二期增设文学系。学院的图书是教职员、学员捐赠的，不少教具是师生自己制造的。音乐系没有大提琴，就用一个装煤油的洋铁桶安上木柱、调音旋纽和琴弦，拉起来音色还挺优美。在教学进程中，大后方有不少的艺术家到延安，音乐方面有既是钢琴家又是作曲家的瞿维、季敏等人。学院的艺术教学需要向提高方面发展，作曲、教学、演奏、培养高级音乐人材，需要钢琴，可是由于原材料限制，自己不可能将这种乐器制造出来。

1940年岁末，周恩来同志刚从重庆回来，参加了学院的除夕晚会，和师生联欢并发表讲话。当他听到学院亟需钢琴的情况，他点头记下了。当时，国民党政府早已停发八路军的军饷，边区经费万分拮据，院内师生谁也不抱希望能有架钢琴，学院领导也不愿提出使中央作难的要求。可是，次年春夏之交的一天，梦想竟奇迹般地实现了。钢琴运到了延安。这是周副主席排除万难从重庆买来的。

李　卜

王汶石

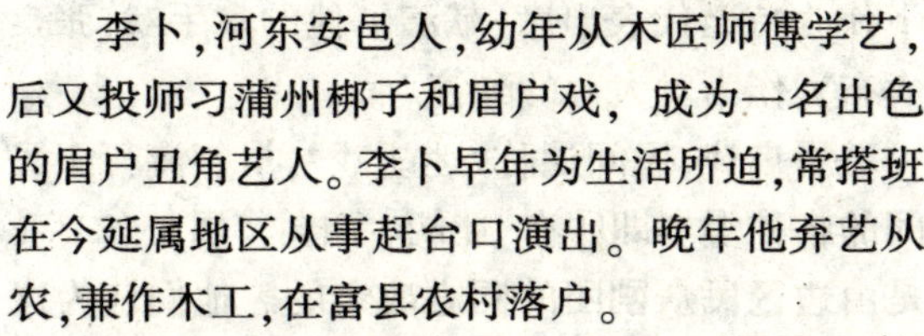

李卜，河东安邑人，幼年从木匠师傅学艺，后又投师习蒲州梆子和眉户戏，成为一名出色的眉户丑角艺人。李卜早年为生活所迫，常搭班在今延属地区从事赶台口演出。晚年他弃艺从农，兼作木工，在富县农村落户。

中共中央在延安时期，毛泽东主席倡导扶持和改进民众娱乐。在他的直接赞助下，于1938年成立了边区民众剧团，从事利用和改造群众喜闻乐见的地方戏曲的工作，以满足工农兵群众的文化娱乐生活。起初，剧团以秦腔、陕北道情为主，团长柯仲平率团深入农村巡回演出时，在富县遇到了李卜，得知李对眉户戏曲颇为精熟，便特邀他到剧团传授技艺。李卜为人热情开朗，毫无保留地将眉户艺术传授给民众剧团。鲁艺音乐系的几位音乐工作者，依据李卜的演唱，录以曲谱，并整理成册，油印散发给爱好者。自此，眉户曲调便在延安文艺界及戏剧爱好者中传播开来。

“延安文艺座谈会”正式提出普及第一的方针，大秧歌运动兴起，一时掀起大写大演秧歌剧的热潮，眉户戏的歌调和衬曲，便成为人们争相利用的艺术形式。著名的《十二把镰刀》、《赵富贵自新》、《牛永贵挂彩》、《大家喜欢》等，都采用眉户曲调。秦腔大本戏《血泪仇》亦曾被改编为眉户剧上演，眉户剧更加普及开来。李卜作为40年代延安文艺界眉户戏传人，是当之无愧的。

1950年，首届西北文代大会在西安召开，李卜作为特邀代表出席，献演了他的拿手戏《张良卖布》，作为对大会的酬答。

眉户戏，民间通称“迷胡戏”，早年流行于民间的各种唱本即印有“迷胡”字样。“眉户”二字，是由边区民众剧团的同志改定的。他们认为这一剧种的发源地是关中的郿县、鄠县一带，故应称之为郿鄠(眉户)戏；又一说则认为“迷胡”源于“二华”(华阴、华县)。眉户流行地域颇广，陕西南部、宁夏东南部、甘肃东部的部分地区也有流行，但以关中和晋南为最盛。河南曲子戏的曲调也与“迷胡”曲调基本相同，连曲牌名称也多一样，如《采花》、《银纽丝》等。晋南人把唱民歌小调称唱曲儿，把“迷胡”也称作唱曲子。看来，“迷胡”戏不过是黄河中游沿河一带的一种小调剧。李卜所唱的“迷胡”，属晋南“曲子”，与陕北一带的唱法基本相同，接近关中东府(即二华)，而与长安以西眉县、户县一带的唱腔，其风格与韵味则相去较远了。

忘不了的信天游

贺抒玉

1944年秋末冬初，我刚参加文工团，第一次接受了深入生活写剧本的任务，选定的地点是子洲县周家圪塄。

大概我是这个偏远山村接待的第一名女同志，妇女们对我既稀罕又陌生。我走到哪儿，后边总有一串孩子们在叽叽咕咕地叫：“哎，女同志，女同志！”年轻媳妇们则是从窗孔或门缝里笑眯眯地瞅着我。

当时那儿正在开展扫盲工作，第一次办起冬学。婆姨们由于封建习俗，不愿和男人们一块学文化，正好由我单独教她们。没料到她们对文化的渴求那么强烈。一对年轻夫妇用他们新婚陪嫁的红门厢当黑板，每天在“黑板”上写满了粉笔字，每人写一扇，看谁写得好。有时难免

“馬”字多了一条腿，“羊”字少了一个角，经我指出后，又在相互戏谑中得到纠正。

两个多月后，当我要离开周家圪塄的时候，她们拉住我的手恋恋不舍，提出要和我拜干姐妹(陕北农村妇女交朋友的一种乡俗)。告别干姐妹的前夕，她们在油灯下为我唱出了自己编织的信天游：

羊羔羔吃奶双胳膝膝跪，
咱们结成了干姐妹。
蒺藜开花黄蜡蜡，
鸿钧要走我灰塌塌。
鸿钧走，顿住手，
盘盘算算没住够。
你背上背包沟里下，
咱姐妹再说几句知心话。
鸿钧走上二里半，
干姐妹还在崄畔上站。
来往的书信常要有，
着实不要把良心卖。

那时名叫鸿钧、只有十六岁的我，把这情意浓浓的信天游牢牢地记在心里，至今不忘。

记尚小云先生二三事

张范九

尚小云先生，不但具有出色的京剧表演艺术，而且雅好翰墨，擅长丹青，同时又嗜古成癖，酷爱收藏书画古玩，因此家藏甚富。有次，他见到一方鸡血石章，质地精良，而且是老坑，印面刻有“仰天祝愿寿百年”七个字的白文，再看它的边款，系清代篆刻大家邓石如所刻。尚老欣喜若狂，爱不忍释，问其要价若干，对方索价颇巨。尚老由于价钱过高，且又不肯降价而未能成交。过后常记挂于心，感到失之交臂，甚为惋惜。直到他因病住院躺在床上，还经常惦念这方石章。

尚老的私人秘书张静榕先生随侍在侧，劝慰尚先生道：“待病愈后，再去原处问问，如果还未售出，就按原价购回；如果已经售出，愿将家藏一方上好的白寿山石章相赠。”嗣后，尚老终因年高体弱，病情恶化而溘然长逝了。

过后，张静榕先生感到此事空许了愿而未兑现，愧对尚老，心殊不安，就想了一个弥补的办法：他将家藏的一方白寿山章嘱笔者按邓石如原句篆刻，并要求将前后经过，铭刻在印章边款内，以资纪念。我刻好邓石如原句以后，就将前后经过用四言率成二十八句，全部刻在印章的四周，其词曰：

尚老小云，一代艺人。伶界祭酒，梨园蜚声。雅好翰墨，兼擅丹青。酷嗜收藏，鉴赏尤精。曾见一印，顽白精品。质文并茂，爱若宝珍。索价过巨，未能遂心。耿耿于怀，梦寐常萦。今归道山，遗愿未尽。挚友静榕，嘱雕原印。以资纪念，藉慰后人。因缀数语，聊表钦敬。丁巳嘉平，吴门印人。范九张畴，刻于西秦。

现在这方石章，为尚老之子京剧名净尚长荣先生所珍藏，尚老的遗著、文稿及所藏资料，差不多都盖上了这方印章。

秦腔戏又称桄桄子

杨春霖

秦腔盛行于我国西北五省，而以陕西关中地区为正宗。在关中群众的口头上往往把秦腔又叫做桄桄子。

我国的传统戏中有一个分支叫梆子，包括山西梆子、河北梆子等。之所以如此命名，就是因为这类戏都用梆子这种乐器来形成节奏。秦腔属于梆子戏系统，当然也具有用梆子的这一特点。但在陕西关中地区，梆子指的是两种东西：一指两块木头进行敲击的那种，一指用小棒敲击一块凿空木头(或一节竹筒)的那种,秦腔历来用的只是前一种。此乐器主要是以质地坚硬的枣木制成,两块,一圆一方,不大不小,一手拿一个,用右击左,发出清脆响亮的声音,起着节拍的作用。它可以叫梆子,也可以叫桄桄子。按理说秦腔就完全有资格称陕西梆子。但也许由于习惯,除了秦腔的一个流派叫同州梆子外,西北地区的民间都不曾这么叫过,现在还不这么叫。历史上有过山陕梆子的名目,也没有用过。在秦腔流行的陕西关中一带,把秦腔只叫秦腔而不叫梆子或陕西梆子。可是,关中方言里有“桄桄子”一词。“桄”字早在汉代就有了,现在关中人还把小木棍叫桄桄子。秦腔用的那个打击乐器与小木棍桄桄子有些类似,因而也就称之为桄桄子。本指乐器,但再加扩展,干脆把秦腔戏就叫桄桄子。

凿空木头的那种,在关中地区只称为梆子,绝不叫桄桄子。在旧社会的关中各处,卖油的以敲击这种梆子代替叫卖,卖一种酱猪肉的也以敲击这种梆子代替叫卖,称梆梆肉,但秦腔却从来没用过这种梆子。听说前好多年,一次演出秦腔戏,为了革新,把梆子(桄桄子)改为木鱼。不料第二天就有人来信抱怨说,他昨晚上不是看戏而是听了半夜的和尚念经,于是从此就再也没有改变过。

马震《华山图》

胡 权

马震，清代著名画家，陕西乾县马连乡马连村人，曾为清代陕西巡抚毕沅(字秋帆)作《华山图》。

相传，毕沅在老母七十大寿时，想为其母画一肖像，留作老人过世后的纪念。于是，他在陕西境内请来三位画坛高手，马震为其中之一。三位画家作画时，毕不断穿梭其间，观看描写技艺。等三位将肖像画好后，毕只选中马震那张，他热情称赞马震作画技艺不凡，画得十分逼真，除重赏金银外，还特邀马震留在官府专事作画。

马震为报毕沅知遇之恩，遂画《华山图》一幅以表敬意。

这张《华山图》上，山水人物，禽兽花卉，维妙维肖，栩栩如生。毕沅视为珍宝，逢人便拿出欣赏，观者无不叫绝，认为可与萧云从(字尺木)的《庐山图》媲美，乃清代画坛一绝。

马震所画《华山图》石刻，今仍在华山，图画左右名人题诗作跋者甚多，为华山一珍贵文物。

齐白石的西安之行

温友言

光绪二十八年(1902)农历十月，当时在画界已有声望的齐白石，应西安的友人夏寿田(午诒)的聘请，为其家人无双教画。齐白石远离烟波浩渺的潇湘云水，来到古城西安。

他到达西安的时候，正值漫天飞雪，一片银装素裹的北国风光。白石《自记》中记有“是岁之冬……风雪过灞桥” 一事。在大雪纷飞的灞桥上，他饱览了“灞柳风雪”的迷人景色。古人吟诵灞柳的诗句，曾引起过他无限遐想，面对眼前的景色，更激发了他写诗作画的雅兴。

是年岁末，白石在西安认识了诗人、书法家樊樊山(增祥)以及郭葆荪、张仲飏诸人。樊樊山时任陕西布政使，其他人亦为清末官吏。这些人

所藏名人字画甚富。白石应邀前去鉴赏,见到了自己前所未见的许多珍品,从而大开了眼界。

在来西安之前,他的画,不论是山水、人物,还是花卉、翎毛,都深受当时湖南工细着色画派的影响。自从他在西安接触到古朴浑厚的汉唐文化,见到了大量明清诸大家的写意画后,受到了很大启发,从中吸取了营养,他变前人的笔意为自己的笔意。从此,他的画逐渐走上了写意花卉翎毛一派。

西安的文物古迹,风景名胜,对提高画家的素养,开阔胸襟,无疑也具有十分重要的意义。据白石《自记》记载:他在西安曾很有兴趣地游览了碑林、雁塔、牛首山、温泉等地,留下了画家刻苦学习和辛勤作画的足迹。

白石一生在艺术上执著地追求,不慕名利,不求升官。他在为夏寿田的家人无双教画的时候,夏寿田曾提出要以课画的俸银为白石捐一知县,并对白石说:“一般候补的知县,是不容易得到实授的,现在我父亲巡抚江西,包你到那里不出一个月,即能上任。”然而专心事业的齐白石却严肃地拒绝了夏寿田的好意,并对夏说:“你要是真的爱我,赠我以官,不若赠我以金,我回家可以此买地置房,不再借山而居了。”夏寿田听了白石这一番话后,为其谋官之事遂罢。

《岁寒三友图》非一轴

涂耿华

松、竹经冬不凋，梅花斗寒而放，向有“岁寒三友”之殊荣。1928年，国民党元老于右任与廖仲恺夫人何香凝、经亨颐(颐渊)、陈树人等著名书画家组成“寒之友社”，他们皆系国民党左派，实可谓人以群分。

据许有成编著的《于右任传》云，经亨颐、何香凝、陈树人三人合作，经画修竹、陈绘奇松、何描古梅，于不长于丹青，遂在图的上方题诗曰：

紫金山上中山墓，扫墓来时岁已寒。
万物昭苏雷启蛰，画图留作后人看。

松奇梅古竹潇洒，经酒陈诗廖哭声。
润色江山一枝笔，无聊来写此(时)情。

三十年后的1958年，于右任先生的友人在台湾书肆偶见此图，乃以重金购得。此事为于的女儿于想想得知，遂将此图携回给父亲观看。时于髯翁已年届八旬，历经沧桑，重睹此画，思念故人，不胜慨叹。他在欣赏回味之余，偶见自己所题诗文的最后一句遗漏一“时”字，因而补之，并系之以诗：

三十余年补一字，完成题画岁寒诗。

于今回念寒三友,泉下经陈知不知?

破碎河山容再造,凋零师友记同游。

中山陵树年年老,扫墓于郎已白头。

诗成之后,盛传海内外。其时,经陈二人早已作古,另一位作者何香凝副委员长及于右任的旧友林伯渠、朱蕴山等皆步其韵奉和。世人因此皆知何、陈、经、于合作的《岁寒三友图》就是流落到台湾书肆上那幅。奇怪的是在陕西省文史研究馆的资料库中也珍藏着一幅《岁寒三友图》真迹,可见该图当初绝非仅画了一幅。

陕西省文史馆所藏《岁寒三友图》也是于、何、陈、经合作。不同的是,此画系何画松、经写竹、陈补梅;于右任的两首诗另写一纸,与画接裱为一轴,而且诗的末句并未漏一“时”字。除何香凝仅落款题名外,其他三人题名且盖有印记。另有朱文印一方,其文曰“李祥麟藏”,因卷轴将印迹染在画背上,显系后补之印。笔者为此曾走访九十高龄的刘依仁先生,先生云:于髯翁1949年飞往台湾时,当局不准其携过多行李登机。于先生无奈,便将自己的部分书画收藏品交给秘书李祥麟保管,李将这些字画带回陕西,解放后捐赠给陕西省文史馆收藏。由此可知,当初归于先生所有的那幅《岁寒三友图》并非流落台湾书肆的那一幅。

陈树藩与阎甘园

张广效

陈树藩督陕后，慕阎甘园的品学才德，下决心请其鼎力辅佐。朋友们再三提醒他："阎甘园淡漠官场仕途，光绪皇帝御封他的官都不做，反随英人敦崇礼赴日考察教育，此后陕西辛亥革命元老张凤翙多次请他任职相助，均遭拒绝，你今聘请恐怕也是枉费心机。"陈树藩听后不以为然地回答："投其所好，必能成功。我以友人手中得到元代大画家滕用亨所作名画《云山晚照图》一幅相送，不愁他不动心。"

《云山晚照图》是一幅反映深秋高山落日图。画面上，一座奇特俊秀的高山拔地而起，被晚霞染红的云彩绕山头团团浮动，漫山遍岭的花草树木全部涂上落日晚霞余晖。整个画面给人以"远取其势，近取其质"，层次清晰，主题鲜明的感觉，是稀有的传世珍品。

陈树藩带着此幅元代名画登门拜会阎甘园。宾主客厅坐定后，陈树藩首先说："阎兄，陈某今带两件礼物相送，但只允许吾兄接收一件，另一件由弟带回。"阎甘园惊奇地回答："好!你先展出礼品，待我看后再定。"陈树藩见时机已到，就直抒胸怀："首件礼品是一职之委。只要兄对

弟之事业极力辅佐,委任何职由兄任意选择,陈某着手就办。”阎甘园面孔一板,正色回答:“这个礼品我不要。人生在世,只有勤奋踏实,或兴办教育,或是有利国利民的一技之长,才能振兴中华,有益社会。现今流行一句话,‘外国人学巧,中国人赶考’。‘巧’者大有人在,但大概不如赶‘考’者之盛。然而,这却是中国落后于日本和西方各国的真正原因。不受一职之委,一钱之报,乃吾平生之夙愿,这个礼品我决不能收,请问第二件礼品是何物?”陈树藩等阎甘园的话音落点,顺手取出藏在衣袖间的《云山晚照图》,摊铺桌上。阎甘园观画良久,面部笑容绽开,高兴得连连称赞:“好哉此画!好哉此画!这个礼品我接收。”言罢,又向陈树藩深鞠一躬,“阎某深谢陈公!阎某深谢陈公!”陈树藩不解地说:“我以官职相许,不仅态度冷漠,反难于我。今送纸画一张,竟如此鞠躬道谢。如果说郑板桥以扬州八怪之一著称于世的话,那么,你就堪称陕西怪癖之首了。”言罢,宾主拊掌大笑。

阎甘园对《云山晚照图》爱不释手,每天过目几遍,自取雅号“晚照楼主”。

冯玉祥师事阎甘园

张广效

1928年,冯玉祥将军率部入陕,筹备二次北伐。他刚到古城西安,就托陕西省省长宋哲元为他推荐一名博学多才擅长书法绘画的贤士,为自己的书画教师。民政厅厅长邓长耀闻讯举贤说:现住西安南院门的蓝田县清末举人阎甘园书画造诣很深,尤以独具一格的指书指画著称于世。冯将军听后大悦,用红帖封了些银元交给邓长耀说:“我的军饷历来短缺,这点银钱就请阎先生收下,算是冯某拜师求学的学费。”

翌日中午,邓长耀兴冲冲直奔阎甘园家,说明来意,并呈上红帖。阎甘园拆开红帖,端详良久,正色回答邓长耀:“冯将军的心意我领了,这笔为数可观的银钱我不能收。鄙人才疏学浅,请他另求高明。”

邓长耀怏怏不安返回,向冯玉祥陈述了经过。冯将军听后若有所思地说:“明白了,看来还得收起司令架子,亲自登门拜师了。”

下午,冯将军来到阎家。阎甘园盛情接待客人,提出有“三事相约”为任教条件。冯将军问道:“所约三事都有哪些?愿听其详。”阎甘园开诚布公地说:“其一,我进军营,只任私人教师,不任大小官职;其二,在战场和帅府,你是统帅三军的司令,我听你的,但在求学的书斋,我应是诲人不倦的教师,你是孜孜求学的学生,你得听我的;其三,学生学业有了长进,允许教师自由他往。”

“言之有理。”冯将军粲然一笑,“所约三事我全允诺,只求老师挥毫作画,以开学生眼界。”

阎甘园心想:“先是我测试他有无求学诚意,后是他测试我有无真才实学。”他立即在桌案上摊开宣纸,揭开砚盖,用右手食指蘸墨后,以苍劲有力的指法技艺,书写了“栝柏豫章早有栋梁气,芝兰玉树生于庭阶间”的对联。冯将军见这几个正楷指书,静中富动,稳中求奇,与毛笔所书没有什么两样,说道:“君乃当世奇才,堪称三秦才子。”冯将军赞叹未定,只见阎甘园又以挥洒自如的技艺,在宣纸上画下了一幅《灞柳春意图》。画面上,远望青山隐隐,近视流水潺潺,河面上小桥横架,绿波中涟漪微荡,还有牛背上吹笛的牧童,和似烟似霞如丝如絮的垂柳,或远或近,或收或放,引人入胜。冯将军观看中不由得神思飞扬,尤如身在其中。他情不自禁地脱口而出:“先生真吾师也!”随后,站立端正,向阎甘园敬了一个军礼。

齐白石三不画

辛介夫

河北徐水靳极苍先生，为人豁达，不矜细节，广交游，善诗文，知名于时。抗日前十年间，僦舍北京西城二龙坑，任志成、宏达两中学国文教师，循循善诱，平易近人，深受学生爱戴。先生令嗣家珍，与余同窗莫逆，因得登堂请益。先生备茶点，叩所学，勖勉有加。四壁悬书画多幅，皆出名家手笔，以齐白石所作《秋容图》最为醒目：黄花灿烂，绿叶扶疏，蟋蟀数只，出没于碎石杂草间，翘须振翅，栩栩如生。题词曰："余有三不画：天气不佳不画，心情不爽不画，求者不雅不画。极苍先生儿辈师，勿论也。"煞尾一语，纡曲周折，似有隐情。余因笑顾先生，欲言又止。先生已知余意，乃慨然曰："咎由自取，无所怨尤。余初修函求画，礼应专呈，乃假授课之便，嘱齐公爱子转递。事涉不庄，宜有此报。所以精工装裱，悬之易见之处者，欲借之以儆余过耳。"余闻是语，深有感触，不禁肃然。既叹齐公之风清，又服先生之量雅也。

寇遐仗义不妄加一笔

沈　楚

寇遐，字胜孚，号玄疵，陕西蒲城人。早岁加入同盟会，为近代著名书法家。

寇遐生活俭朴，性格直爽，有正义感，爱憎分明。杨虎城主持陕政时，曾在西安九府街(今青年路)修建一座寓所，由李元鼎为其题名“止园”，取“止戈为武”与“知止不殆”之意，请寇遐亲书隶体匾额“止园”二字。“双十二”西安事变后，陕西省主席祝绍周的保安处长张某，请寇遐在“止”字上加一横改成“正园”，以取媚于表字“中正”的蒋介石。寇遐大为不满，严加拒绝说：“名是老朋友题的，字是老朋友让写的，现在老朋友(指杨)在难中，我怎能随便改呢！”始终不为权势所屈服。

关麟征“班门弄斧”

关梧枝

抗日将领关麟征爱书法，在行军作战中，他

从不忘记与部属们一起练字，其部下张耀明、陈沛、罗奇、李棠、刘玉章、覃异之等在书艺上均有造诣。军营中，在马背上练字和“柳营晨试墨，虎帐夜谈兵”蔚然成风，一时间传为佳话。

据庞齐先生回忆，1944年冬的一天，于右任先生在其重庆居所宴请关麟征，并邀请陕籍同乡庞齐、张灵甫、党必刚作陪。宴罢，庞、党向关索求墨宝，关笑曰：“恐怕没人敢在于先生这里写字吧！不过，我敢写，班门弄斧嘛！”边说边回头对于右任说：“于先生，听说有一次我给你写的信，有的字你不认识。”于笑答：“那是你胡画呢(指不按草书规范写)！”于处文房四宝齐全，关乘兴疾书，草屏一挥而就，书法遒劲苍老。于观后，誉之曰：“大有进步！”足见于与关间情谊之深厚。关一向视于为恩师，于之精湛书艺，对关颇具影响。

文物古迹

宋伯鲁一纸护《道藏》

陈崇凯

民国十六年(1927)初,冯玉祥屯兵西安,其一部驻于东关八仙庵。八仙庵为西安道教名庵,藏有道教经书总集《道藏》,包括道教经戒、科仪、符图、炼养等,是国内稀有的文物。冯军一些军官深知《道藏》的价值,便在庵内乱翻文物经籍,见好就拿,丢失颇多,道士敢怒不敢言。这时宋伯鲁正在西安主持陕西通志馆馆务。因宋1924年曾劝阻康有为换经而保住了卧龙寺藏经,道士遂向宋伯鲁求助。宋伯鲁知情后,连夜挥毫致信冯玉祥,请其保护西安文物古籍。几天后，冯玉祥将军冒雨亲到宋府拜谒并道歉："接你信后，我立即命部队从八仙庵撤出，所拿之物通统归还。请你再问监院，如果我的部下还有不是之处，请再直言相告。"临走时，冯将军还立正向宋伯鲁行军礼致谢。

冯玉祥题词碑

马　骧

在陕西耀县药王山南庵碑林中，有《冯玉祥题词碑》一通，碑文如下："我们一定把贪官污吏、土豪劣绅扫除净尽。我们誓为人民建设极清廉的政府。我们为人民除水患、兴水利、修道路、种树木及做种种有益的事。我们要使人人均有受教育、读书识字的机会。我们训练军队的标准是为人民谋利益。我们的军队是人民的武力！"碑文后署"中华民国十七年冯玉祥"。

这块题词碑是冯玉祥在西安就任国民革命军第二集团军总司令后建立的。这段题词不仅写出他憎恶当时的腐败政府，也表现了他一心想为人民办好事的爱国热忱，具有一定的历史及现实意义。

三十年代西安碑林的一次整修

贺忠辉

1935年春，国民党政府古物保管委员会在西安设立办事处，由黄文弼委员任办事处主任。黄到任后，对坐落在西安府学街收藏历代碑刻的碑林(当时称碑洞)进行了多次考察研究。他看到碑林在战乱中无人管理，遭受破坏的情景，想对它进行一次整修。于是，到处奔走，联络各方，大造整修碑林的舆论，竭力争取社会各界的支持。在条件基本具备后，黄即以西安办事处的名义向中央古物保管委员会写报告，申述整修西安碑林的必要性和可能性。经中央古物保管委员会讨论，认为整修是必要的。黄文弼本南京会议精神向陕西各界致函，取得了各界的支持。当时任陕西省政府主席的邵力子竭力相助。经过努力，终于筹集到近两万元整修经费，但仍然远远不足。1935年10月，蒋介石来西安。一天，在陕西军政要员陪同下，到碑林视察。邵力子向蒋介石面陈了整修碑林一事，得到蒋的同意，答应由“中央补助”一部分经费。

不久，整修碑林的议案及黄文弼拟就的碑林整修工程计划书和建筑图样，由中央古物保管委员会呈内政部。1935年12月23日，行政院

批复:“呈件均悉,……决议由中央补助五万元,已令饬财政部遵照筹拨。”

1936年9月,中央古物保管委员会和陕西省政府组织了整修碑林监修委员会,主持工程的实施。10月17日,内政部聘请邵力子、张继、黄文弼为监修委员会委员,黄文弼兼秘书,具体负责监修事宜。监委会又聘请张鹏一、宋联奎、寇遐、赵玉玺、张致道为顾问,李俨、张羽甫、刘祝君、沈诚为工程顾问。1937年6月,内政部又加聘孙蔚如(已调任陕西省政府主席)为监修委员。整修工作于1937年4月21日正式动工。国民政府主席林森为整修题“整理西京碑林奠基纪念”,邵力子题“中华民国二十六年七月整修西安碑林工程奠基纪念”。1938年3月工程竣工,4月验收。于右任题写了“西安碑林”匾额,悬挂在碑林大门上方。至此,西安碑林有了一定的规模,为保护祖国珍贵文化遗产提供了条件。

兵谏亭边话今昔

李俊民

临潼骊山上,虎斑石下,有一碑亭,镶挂蓝田玉雕金字匾,书刻《兵谏亭》三字。溯其来历,饶有趣味。

“九一八”后,日寇侵我东北,直驱华北。中华民族处于生死存亡之际。身居军事委员会委员长的蒋介石执行“攘外必先安内”的政策，于1936年亲来西安，部署“剿共”，行辕设在临潼华清宫。此时，张学良、杨虎城二将军接受了中国共产党“停止内战、一致抗日”的主张，于12月12日对蒋介石实行兵谏，此即震惊中外的“西安事变”。是日拂晓，蒋介石惊闻枪声，仓皇越墙逃出华清宫，攀荆附石，钻入虎斑石东侧一石洞内藏身，被兵士搜捉下山拘禁。

西安事变解决之后，国民党政府把蒋介石在事变中藏身之处命名为“蒋委员长蒙难处”。1942年1月，临潼县政府具文呈请陕西省教育厅，改“蒙难处”为“民族复兴石”；1946年初，南京政府拨专款，责令胡宗南部桂永清负责在虎斑石前修建“民族复兴亭”，同年3月又改名为“正气亭”。

中华人民共和国成立后，1952年人民政府在亭后竖立碑石，记述了西安事变的真实历史，并改“正气亭”为“捉蒋亭”；1986年12月纪念西安事变五十周年时，中共中央统战部将该亭正式定名为“兵谏亭”。国务院将其列为全国重点文物保护单位。

圣水寺的汉桂与五泉

王复忱

圣水寺位于汉江南岸灵泉山，地属南郑县。据寺内碑文记载，该寺重建于明嘉靖年间，是一座历史悠久的宝刹名寺。

该寺掩映于苍松翠柏与绿竹之间，碧瓦红墙，拥抱着梵宫琅宇，显得庄严、肃穆、典雅。最为突出的是一座精致的佛楼。其中有宝幢金盖，鎏金的诸佛菩萨像若干尊，工艺精湛。

佛楼下有汉桂一株，相传为萧何手植。该桂须五人合围。虬枝覆盖满院，开花时，其色金黄，香达数里。八月中秋前后一个月之内，游人如织，成为旅游胜地。

寺内有五泉，俗称灵泉。五泉之水，分为青、白、黄、乌、黑五种颜色。黑泉从佛座下流出。其余四泉，分布在寺的东西。游客们为观赏五泉水色，常各取一盏以猜辨某泉之水，引以为乐。“攀枝究桂瓣，察色分泉阶”的诗句，就反映了这一雅兴韵事。

荫灵山寺翰墨苑

冯忠骅　冯树钧

攀登蜿蜒的盘山道，爬到1420米高处，可见一条南北走向、瓦屋错落有致的小街，这便是南郑县荫灵山镇。这里是川陕交汇、一脚踏三县的地方。每逢双日逢场，镇上头缠布帕、脚穿大红绣鞋、身背喇叭背篓的巴山姑嫂，背来山货土产叫卖，再将生活用品买回。她们簇拥在店铺旁边，正是："荫灵山镇形若舟，人披红绿彩云走。"场北一座明代修建的乐楼，重檐彩绘，是一个二层木戏台。大凡唱一个《巴九寨》通本戏，就要把乐楼修缮一番。

楼下向北再爬3653级石板小径，跨过两峰对峙，中间以巨木拱搭的桥梁，便可见群山环拱，丛林白云烘托，擎起一巨大孤石。这孤石高约40余丈，宽约百丈。孤石上筑有一座翘角斗拱、朱牖粉墙的寺庙，在彩云缭绕、万山烘托中，犹入仙境。站在庙东山门，巴山诸峰跪拜足下。庙下两千多通书家墨宝镌刻的碑文，顺山势排列两旁。

荫灵山方丈白鹤仙师在山七十余年，承传先师遗训，苦练气功与书法。他说："书(法)、气(功)皆一体。形神笔间留。"又说："山上这两千余通碑文，是元朝末年红巾军徐寿辉的将领陈近南广结川陕义士，以荫灵山寺为研习书道气功修身养性之所，遗留下来的。”

在古树蔽日，百鸟鸣唱，白云飘渺，山风摇荡，三伏天尚需穿夹衣的石板小路上，拜读这两千余通文化遗存，是一种美好的艺术享受。书写这些碑文的，年高者一百零二岁，年少者仅九岁。汉、满、蒙、回各族书家俱备。六尺多高的碑板上或仅书“云”、“剑”独字，或书“鹤舞”、“松涛”、“云海”、“奇观”等双字。其草书有高山流水、松涛鹤唳的气势；而遒劲俊秀的楷书，却有“履险如夷，形低渭北；登云有路，瑞映巴南”的神韵，真是洋洋大观，美不胜收。

长安五台山弥陀寺

周文敏

弥陀寺坐落在长安境内的五台山口，距正顶的圆光寺约二十华里，是上五台山必经之处。两侧重山环抱，松柏遍布。寺内有印度梭罗、梧桐、玉兰、垂柳等，枝繁叶茂，婀娜多姿。这里地势平坦，风景秀丽，不仅是佛教圣地，也是旅游佳境。

弥陀寺，相传创建于隋代(寺原有石碑记事，今亡)。历经兵乱，多次修复。抗日战争期间，弥陀

寺为国民党中央陆军军官学校第七分校所占用。1939 年 1 月,七分校在寺内设军需实习班,共办两期,每期四百人。1940 年 8 月第二期学生毕业后停办。从此,该寺被划为禁区。

1943 年, 蒋介石在长安皇甫村常宁宫召开西北军事会议时,曾到过此寺。1944 年春,国民党派张治中、邵力子与中共代表林伯渠、吴玉章等在此寺举行秘密谈判, 协商抗日战争胜利后的事宜。选定这里作谈判地点,是由张治中将军提出,经国共双方同意而定的。因为这个寺院风景优美,又便于警戒与保密。

弥陀寺现经修复。有大雄宝殿五间。殿内塑有阿弥陀佛、观世音菩萨和大势至菩萨,佛前幡幢幔垂,法器陈列井然。大殿后有中殿三间,最后是新建罗汉堂三间, 堂中建有木雕六角五层宝塔,高达五米余,上四层各嵌石雕像和菩萨像六尊, 共二十四尊。堂壁上嵌着五百罗汉石雕像,姿态各异,工艺精致。

从总体来看, 长安五台山弥陀寺不愧为一座比较完好的佛寺。其中不少的木石雕刻都是艺术珍品,而且,在我国新民主主义革命史上,它也是值得记载的地方。

神禾原上常宁宫

祝生明　梁作仪

常宁宫，位于长安县皇甫村，距韦曲七八华里，是个引人入胜的地方。传说村西原有唐代道教宫观一座，唐太宗之母曾来这里居住，避暑揽胜，遂取名常宁宫。这里也是唐代诗人皇甫冉的故居。现代著名作家柳青曾在皇甫村长期居住，其恢宏巨著《创业史》就在这里写成。柳青逝世后安葬在常宁宫后面的神禾原上。剧作家马建翎，也曾长时期在这里从事戏剧创作。

抗战时期，蒋介石来皇甫村游览，喜欢这里的山光水色。王曲军校七分校主任胡宗南为蒋修建别墅，耗费不少人力、财力，于 1940 年建成，取常乐宁静之意，仍沿称常宁宫。

常宁宫依神禾原分层建筑，布局错落有致。四周山青水秀，林木苍翠，花草繁茂，清静幽雅。大门设在原半坡间，上书“常宁宫”三字，雄伟壮观。门里陡坡长二百多米，建有七十九级台阶。进院以后，展现在眼前的是古朴典雅的建筑，屋宇亭舍，各具特色。蒋介石的会客室，陈设如旧。门前垂柳，状如迎宾。会议厅外，古柏参天，荫可蔽日。卧室为里外套间，室外丹桂，花开季节，十里飘香，沁人心脾。据说，除汉中圣水寺萧何手

植汉桂外，这是目前省内最大的一株桂树。

院内房舍厅室，均以走廊相连，更显古雅。此外，还建有舞厅、娱乐室。蒋介石夫人的化妆室、琴镜依旧。地下建有密洞，洞内会议厅、办公室、卧室、蓄水池、卫生间等，一应俱全，具有最佳防空功能。崖上最高处建有“观景亭”，横悬“江天一览”四字匾额，亭柱有“明光八域，万众三呼”的对联。当年蒋介石来常宁宫时，每日清晨就在这里观景品茶，或和国民党军政大员进行密谈。

1941年至1948年间，蒋介石和宋美龄曾先后三次偕国民党军政要员来常宁宫居住，密议“党国”大事，西安事变前，曾在这里召见过张学良将军。1943年，其子蒋纬国和石静宜结婚后，也曾在常宁宫度蜜月。

禹门奇景

白冠五

抗日战争中，我参与河防视察，两次到过禹门。据两岸民间流传，禹门在古代即建有浮桥，互通秦晋。1940年后，禹门修建了铁索桥。行人通过时摇晃不定，桥下滚滚黄涛奔腾似箭，两山对峙，峰峦突兀，行人视为畏途。由此产生了导桥谋生的职业，这对胆小的人和老弱妇孺很是便利。现在龙门山下建起了一座大铁桥，黄河天堑变为通途。

禹门又称龙门。两岸山峰对峙，峻拔险要。上游被龙门山锁束，河道窄狭，激流宛若蛇行。河水过桥出口以后，河面宽度骤然扩张了十几倍，浊浪奔腾东去。自古脍炙人口的黄河鲤鱼，品高味美。鲤鱼每年溯流而上，游到龙门，受急流冲击，多跌泻而下，偶有跃过龙门的鲤鱼，被人们美誉为化龙成仙。“一登龙门，身价十倍”的古话，即据此而来。

禹门的奇景在上游约五里处的石门峡。龙门山隔河矗立，两岸悬崖峭壁，其间河面仅有六十米宽。狂涛拍岸，浪花成雾，呼啸而下。所谓“禹门三级浪，平地一声雷”，就是这一景观的真实写照。

王诚斋马氏义学碑文

王世民

王诚斋(1871—1924)，陕西省扶风县人，是陕西民族民主革命先躯。辛亥举义于扶风，旋即与曹印侯共率敢死军御甘军于凤翔。民国初，知宜川、彬县事，后因反对袁世凯称帝而被捕入狱。1918年与邓宝珊、张义安、董振伍等共谋起义于三原，因而策动胡景翼部树起靖国军旗帜

以响应孙中山先生西南护法。靖国军成立之初，王任筹饷总局局长，兼第六路游击支队司令。后又任靖国军陕西省临时议会议长，仍兼领游击军并署少将军衔。

王诚斋聪颖多才、文武兼备，不仅在政治、军事方面对革命事业多有贡献，而同时也是关中著名学者。他工诗、能文、善书。1922年陕西靖国军失败，王诚斋回乡，有扶风毕公庄马家村在其宗祠设义学者，请王诚斋撰文为志，他慨然允诺，援笔立就。文曰：

> 今中原版荡，海内鼎沸，国事蜩螗，庶政停滞。乃税骖里门，读有未竟之书。非闹中取静，自鸣旷达，实自惭庸迂，谋道学问也。夏历蒲月，有毕公庄马逢金来言："清光绪庚子岁，村人马士望先生为敞宗祠置地二顷八亩有奇，并告耆老以置田办学之义。旨在使寒家子弟幼不至于失学，长可自立，而聪颖者得缘是以进，可期大成，以为马氏宗族光荣。今士望先生虽死，言犹在耳，理应遵其嘱而建祠修学。今春村众公决，就宗祠增修葺补之处，树碑以为记，众人皆曰善。"余历署民国县事，屡主军政，所到之处，无不以棫朴作人为当务之急。遇热心兴学之人，必极力诱掖奖劝以玉成之。良以今日世界科学争盛，觇国者以学校之多寡、教育之盛衰而较国势之强弱焉。吾国自袁逆叛国、段氏坏法以来，各省封疆大吏皆摧残教育，遏抑民智，以演成今日教育衰败、国

步日蹙之险象。设非有志士仁人于此惊涛骇浪之中奔走呼号，竭蹶从事，支大厦于将倾，维学风于将坠，唤醒国民急起直追，吾中华民国能不为朝鲜、安南之余绪乎！此士望先生捐资兴学之热忱，又不徒为一方风也。余是以闻逢金之言而乐为之记其崖略。虽浅陋，不敢以不文辞也。

此文撰写于1923年。当时北洋军阀气焰十分嚣张，王诚斋在文中严厉斥责北洋军阀为政无德，摧残教育的罪行，表现了他为革命事业献身的大无畏精神，同时也表明他重视教育事业，以教育为国本，以教育之盛衰为国家盛衰之本源的卓识远见。碑文用汉隶书写，字体方正，苍劲古雅。此碑至今犹存，是扶风县珍贵的文物。

县官“脱靴”的风俗

韩崇虎

“铁打的衙门，流水的官”，是讲官有上任的一天，也有离任的一天。过去，陕西、山西一些地方有一种对政绩突出的县官，离任时老百姓脱掉他脚上一只靴子的风俗。

这种“脱靴”的风俗最早起源于北宋。相传，寇准在陕西下邽(故治在今渭南市北)当县令时，因勤政爱民，深得老百姓拥戴。他离任进京审理潘、杨两家人命案时，老百姓沿路相送，寇准心里非常激动，在上马走时，不小心将脚上穿的一只靴子掉落马下，当即有一个老百姓上前将靴子捡起,要求寇准把靴子赠送给他以作纪念,寇准答应了他。后来,下邽一些有见识的人经过商量,决定把这只靴子拿给新上任的县官看,意思是让他按着寇准的脚印走,当一名受百姓欢迎的官。

从此以后,不少地方的百姓都仿效下邽人的做法。只不过这些地方离任的好县官,不可能上马走时都将靴子跌落到马下,因此,老百姓就改从县官脚上脱靴子。这种"脱靴"表示老百姓对县官在任期间政绩的肯定。所以,离任的县官都喜欢光着一只脚走。

县官离任"脱靴",既有表彰离任县官功绩的意思,又有激励后任县官奋发图强的作用。这种风俗一直延续到民国年间。1933 年 4 月,在咸阳办教育有功的县长刘安国离任时,就曾受到了当地老百姓的这种礼遇。只不过这时的他已不是穿靴戴乌纱的封建县令,而是一个身穿中山装脚登洋皮鞋的民国县长,自然"脱靴"也就成了"脱鞋"了。

按:刘安国(1895—1988),字依仁,陕西华县人。生前为陕西省文史研究馆馆员。

榆林豆腐

雍　川

榆林城内普惠泉南的豆腐巷，是最早用普惠泉水制作豆腐的作坊。早在清代，榆林文人作有《豆腐》诗称赞此地豆腐："传得驼城水最佳，皮肤退尽见精华；一轮磨上流琼液，百沸汤中滚雪花。瓦缶浸来蟾有影，金刀割破玉无瑕；个中滋味谁得知，多在万户与千家。"

康熙三十六年(1697)二月，康熙西征噶尔丹，路经榆林。榆林府的厨师便烹调菠菜烩豆腐奉上，康熙品尝之后，觉得此菜做得色味兼有，便问此菜何名。聪明的厨师灵机一动，便以菠菜色似翡翠，豆腐洁白如玉，回报康熙帝，雅其名曰："清香白玉板，红嘴绿鹦哥。"自此，榆林豆腐名闻京师，誉冠秦晋。

榆林豆腐，绵软而微韧，微酸中有清香，质嫩、色白、虚活，一经油炸，酥香可口，是陕北地区的名特产品。

安塞剪纸

冯媛爱

剪纸在陕北民间有着悠久的历史。只要你到乡村去走走,每逢过年过节,几乎家家户户都贴着窗花。安塞县尤其普遍,而且剪纸的艺术特色比较鲜明,享誉海内外。

安塞剪纸古朴、洗炼、粗犷、浑厚、大方、美观,具有鲜明的地方特点。剪纸的创作与复制完全凭剪功和色纸而定。首先是创作,设计图案时,有的用铅笔在纸上画出图案,有的只在纸上用指甲画个轮廓。熟练者不画草稿,打好腹稿后,想怎样剪就怎样剪,剪刀随着心意走。剪法主要有两种:一种是先剪出大轮廓,然后在轮廓里进行细剪和任意装饰。另一种,则先从内部剪起,大样剪出后,然后才剪出外轮廓。

复制原作,方法有两种;一种是烟熏法。将样品铺在平展的纸上,贴到木板或搪瓷盆底下,喷湿后等水渗一会儿,即点燃蜡烛或油灯,让浓烟把纸熏黑,稍干后即取下样品,黑白分明的图案便在纸上了。这种方法比较常用。另一种是擦色法。把样品原作放在选好的纸下面,铺在平整的桌面上,然后用铅笔在纸面上反复摩擦,到全部显出样品图形为止。这种办法简单易行,可保

持样品原样不受损坏。最后将熏好或擦摩好的图样钉在准备好要剪的纸上，即可动剪子剪出理想的花色品种。

安塞剪纸种类繁多，主要有：窗花、枕花、鞋花、肚兜花、针刺花、窑顶花、门花、灯笼花、灶花、箱柜花、炕围花等。剪花的内容主要有：飞禽走兽、花草虫鱼、新人新事、故事传说等。

马畅缣·谢村黄酒·黄縢酒

江弘基

陕南洋县，即古洋州。该县西区为汉中盆地东部边沿，水流经其间，地势平衍，土地肥沃，富有农桑之利。马畅缣和谢村黄酒自来驰名国内。至清末、民国年间，久盛不衰。

缣，是用双缕生丝织成的细绢，色淡黄。主要用于书画，也可作蚊帐，夏天用缣作背心穿，更有凉爽利汗之用。古乐府《上山采蘼芜》所谓“新人工织缣，故人工织素。织缣日一匹，织素五丈余。将缣来比素，新人不如故”的“缣”，即此物。

黄酒，在陕南一带都是用糯米做的。酒色黑黄，味醇冽，如绍兴花雕。做法是：先将糯米洗净蒸熟，晾至微温，拌入酒曲，然后盛入大缸，待发酵后数日，即渐有酒汁飘浮于糟粕之上，这时就可以“上酒”了。所谓“上酒”，是把缸里酿成的酒，连酒带糟装入用缣作成长约一米、直径约三十厘米的口袋，扎紧袋口，平放(稍斜)在木制的酒槽内。一般可以放两层，四条口袋，上面再放一层木板，用巨石加压，酒就流到酒坛子里了。这第一次上出的酒叫甘酒，最浓。以后还可以给缸里上过的酒糟加水，再上第二次，到第三次为止。这后来的酒叫头道长酒，二道长酒，味就逐渐淡薄了。

这种酿制黄酒(特别是上酒)的办法，为陕南各县所通行。洋县谢村黄酒也是用这种办法酿造而成的。

“黄縢酒”见陆游词。陆游是山阴(绍兴)人。他的著名词作《钗头凤》的头三句说：“红酥手，黄縢酒，满城春色宫墙柳。”《宋词鉴赏辞典》以为“黄縢酒到底是什么酒，不详。縢有缄封义，有人认为就是黄封酒”。这说法不确。“縢有缄封义”不错。但“黄封酒”又是什么酒呢?它没有回答出问题的实质。原来，縢又有口袋的意思。从以上所述用缣作口袋过滤黄酒的民间习俗看，我觉得陆游词的“黄縢酒”，就是黄酒，也就是糯米酒。在绍兴叫花雕，又叫女儿酒。北宋黄庭坚《一斛珠》词有“小槽酒滴真珠竭”，南宋黄机《清平乐》词有“酒泻黄縢光夺月”，明陈继儒《一斛珠》词有“酒槽红弗珍珠滴”等句。庭坚，分宁(今江西修水)人。黄机，里居不详。继儒，华亭(今上海松江)人。可见，自宋以来民间制作黄酒的方法，江南的苏、浙、赣等地和陕西南部，也基本上是相同的。

西安的灯节与送灯

田克恭

灯节，是长安(西安)的传统风俗，在这座古城延续了一千多年。每年灯节期间，看灯是广大群众最感兴趣的事。我幼年时，听说过灯节时，满城(西安城内东北部为清代的"满城")里花灯很多。集中灯展的地方，搭有用彩纸花组成的大葡萄架，挂着各种花、鸟、虫、鱼式样的彩灯，还放烟火，也允许汉人去看，在正月十四、十五、十六三天夜里，人山人海，十分热闹。

民国年间(抗战期间例外)，每年农历正月初六至十五，古城内外仍沿旧俗设有不少大小灯市，出售花灯，尤以竹笆市、粉巷、南院门街最为著名。制作花灯的精湛技艺代代相传。每逢正月十四、十五、十六三天，西安五味什字的藻露堂、敬元堂等六七家老中药店，三进深的庭院里挂满了各式彩画的玻璃灯、各种花鸟虫鱼纸灯和有故事内容的走马灯，琳琅满目，争奇斗妍，一家赛过一家。城内远近群众蜂拥而至，小姐、少爷、太太、老爷们则坐着轿车去看灯，五味什字的半条街拥挤得水泄不通。口哨声、欢笑声、"让开！让开！"的喊叫声，喧嚣一片。

随灯而来的民俗是在灯节前给亲人送灯，

所送的灯叫“长命灯”，意在期望亲人四季平安。女儿出嫁后的第一年，娘家必须给女儿送“大灯”。富裕人家送一对玻璃宫灯或四方形玻璃灯，一对大纸花灯，外加一对红绢或红纸作的贴有“长命富贵”字样的小圆“火葫芦”灯，一束红蜡烛和四色人情礼品。经济困难的人家借钱也得送“大灯”，否则，女儿在婆家说不起话；不过只能买一对大纸花灯，一对小纸“火葫芦”，十支蜡烛和四色人情。头年一过，往后就不送大灯了。一般家庭每年只送一对纸花灯、一对“火葫芦”、十支蜡烛和一封点心。贫苦人家只送一对红纸糊的“火葫芦”，十支蜡烛和十根油炸麻花。女儿去世后，舅家每年照例给外甥、外孙送长命灯，代代不断。另外，干爹、妈(义父母)从认亲的第一年起，要给干儿(女)送长命灯，规格与送给女儿的灯类似。不过义子(女)去世后，就不再给干亲家送灯了，只作为亲戚来往。

佛坪的地蹦子

郭　鹏

佛坪县自清代以来，民间表演艺术多式多样，生动活泼。有耍狮子、彩船、龙灯、社火(分高台社火、地社火)、高跷、竹马灯、车车灯、蚌壳舞、端公舞、地蹦子等。

地蹦子，清代即流行于县内陈家坝一带。凡逢年过节、婚寿喜庆之日，民间跳地蹦子以示欢乐。跳法是：在家户堂屋门口或小院内，置一方桌为“舞台”，由二至三名化装表演者，在锣鼓管弦乐声中，站在台上，边舞边唱花鼓、道情、端公、八岔等曲调。内容有《古老六说媒》、《贾金莲赶船》等民间小剧。亦有毗邻几家同时开台演唱，隔街互唱互答，或戏谑对唱打诮的。这种民间表演形式活泼简便，颇受群众喜爱，至今不衰。

国际篮坛中国首次夺冠

王耀东

1921年夏，第五届远东运动会在上海举行。中国篮球队以30比27、45比30的战绩，力克菲律宾、日本两队，夺得了冠军。这是中国篮球第一次，也是旧中国惟一的一次在国际篮坛比赛中夺冠。

光阴似箭，岁月如流。我现在已经是九十多岁的老人了，回忆起我当年作为中国篮球代表队队员参加这次比赛，壮心复萌，感奋不已。我们中国队，虽然经过层层选拔，但赛前训练时间短，物质条件差。全队只有两个篮球，队员每人只发一件背心、一条短裤、一双布鞋，每天在饥一顿饱一顿的情况下，徒步往返于宿舍与场地之间。大家抱定决心，刻苦训练，打出水平，为国争光。

中国队首先迎战菲律宾队。出场队员是中锋王鉴武，前锋王耀东、魏树恒，后卫孙立人(后来曾任国民党陆军总司令)、翟荫吾，后备队员有中锋王瑞生，后卫郭宝琳等。我们队平均身高1.83，占有明显优势。我们临阵沉着勇猛，出手不凡，不时出现许多精彩场面，博得中外观众阵阵掌声，也受到美国裁判的赞佩。

篮球大约是1896年前后传入中国的。从1913年起中国篮球队虽然参加过四届远东运动会，但总对付不了实力雄厚、又有美国人担任教练的菲律宾队。五届运动会开幕前，菲队为了显示自己的实力，先声夺人，与上海久负盛名的西侨联队(外国人组成)在四川路青年会室内篮球场进行了一次比赛，结果菲队取胜。第二天，上海的外文报纸为其大肆鼓吹，并预言这届篮球冠军非菲队莫属。更有甚者，竟有英国、日本商人以巨金为中菲比赛打赌，英商认定菲队必胜无疑，且以数倍于日商的赌金投赌。面对劲敌，我队斗志昂扬，敢打敢拼，最后，在终场前30秒，巧妙配合，两次投篮得分，转败为胜，以30比27击败称雄远东的菲队。

次日，与日本队交锋，中国队士气更加旺盛，又以45比30的辉煌战果取胜。

这次国际篮球赛打得紧张热烈，紧扣国人心弦，场内场外群情激奋，欢声雷动。当胜利的消息传开后，人们振臂高呼："中国！中国！中国队胜利万岁！"

天足会与《放足歌》

刘粤基

陕西西乡县，北滨汉水，南屏巴山。虽然地阜物华，但在漫长的封建时代，文化极其落后，封建意识浓厚。"五四"运动后，一批有识之士，作为进步文化的先驱，始在山城点燃了妇女解放的火种。

1924年，柳树店妇女段慧君以"陕西省天足会陕南分会"会长的身份，联合城关女校教员范莲舫、倪淑文等，倡导妇女放足，她们编写了许多歌谣在妇女中传唱，如《劝放脚歌》：

女子缠脚是废物，犹如枷锁戴一生。
伤筋断骨寿不长，谁忍送女入火坑。

1925年，廷水青年陈浅沦(即后来的红二十九军军长陈潜)在家乡私渡、廷水一带组织大脚会，会员发展到三百余人。他是一位诗歌创作的好手，编写了数十首有关放脚的歌谣，保留至今的有《十放脚歌》、《劝妇女放脚歌》、《天足歌》等十余首。有一首《放脚歌》是这样写的：

女同胞，自思量，小脚有何比人强。
吾陕西，女学兴，女子知识日日增。
或参政，或办公，为国为家与男同。
观欧美，妇女中，经商游览到亚东。
能自立，能谋生，写字计算皆精通。
快放脚，莫装聋，放脚之后乐无穷。

西乡的放脚运动，历时五六年，声势遍及城乡。通过放脚，喊出了"妇女解放"的口号，也是一次有声有色的思想启蒙运动。

可怕的关中年馑

宋旭初

民国十八年(1929)，豫西、陕西关中和甘肃一带遭受到百年不遇的荒旱，人民流离失所，饿死无算，其悲惨状况，令人目不忍睹。

在民国十六、十七两年间，雨水短缺，粮食大量歉收，户户粮食不足。百姓们渴望十八年有个好收成，以缓解粮食紧张状况。谁料十八年从春天直到初冬，滴水未落，赤地数百里，农户断炊烟，大路上的尘土竟可埋没脚面。春天下种的麦苗，到了收获季节却都变成了黄白色的毛毛草，无法用镰刀去割，只好用手去拔，其收获的粮食还不如种子多。

百姓们为了糊口，拼命地挖野菜，扒树皮来

吃，后来就吃野草和草根。原野一片荒凉，光秃秃的树干到处可见。有人因吃了谷糠或油渣等物，解不下大便，因此而死。有人饿得无法，只要看到别人拿着一个馍就去抢夺，别人拼命追赶，他就把馍向尿罐或者臭水中一塞，别人只好放弃，他才又拿出来洗洗吃了。那时节大部分人都饿得皮包骨头，脸呈黄色，举步维艰，有些人一旦跌倒，便口流黄水而死。野外和路旁，随时可见未掩埋的尸体。有人饿得无法就去吃死尸，谁家的孩子死了，埋了，当晚就有人挖出来吃了。

越是缺粮，投机商们越要大捞一把，市场上粮价高得出奇，每斗五六块银元，能买得起粮食的人不多。有些人家只好卖房子卖地，一亩地仅卖两块银元，房屋、衣服、家具的售价大大低于成本，就这还无人买。为了充饥，农户大量宰杀牲口，年馑过后牲口奇缺，到处都是人拉犁的状况。灾荒也改变了长期以来的结婚礼俗，女方什么都不要就将女儿送到女婿家。更凄惨的是有不少人家卖儿卖女，好多关中姑娘都被人贩子卖到了山西。黄河岸边姑娘与家人离别时的惨景实在令人心酸。

这种状况一直延续到1930年夏收后，才开始好转。

“打倒戴季陶！”

王增尧

在西安学生运动中，追打戴季陶是一次有名的壮举。1931年国民政府考试院院长戴季陶，由南京来陕视察。当时陕西省教育厅厅长李百龄为了欢迎戴季陶，集合省城各中学、师范学校学生于民乐园大礼堂，听戴季陶“训话”。礼堂外四周遍布宪兵。戴在讲话中反复强调“开发西北”。但他的“开发西北”，并不是真心诚意帮助西北人民建设自己的家乡，而是侈谈西北政治、经济、文化、科学的落后。学生听了，大为不满，认为戴季陶是以我大西北为蛮荒未开化之区，是侮辱我们羲皇人文始祖。学生愤怒高呼：“打倒戴季陶！打倒戴季陶！”当即汹涌而出，吓得会场外面的宪兵想开枪又不敢擅自开枪。

戴季陶看情势不妙，从后台狼狈逃出，钻进汽车，想要溜走。学生愤怒万分，围阻他的灰色汽车，不许开动。司机拚命开车，终于冲出一条道路。学生抛掷砖石砸车，瓦砾泥土，各种秽物，纷纷落在车顶上。戴季陶乘车夺路逃走后，学生余恨未消，遂将教育厅厅长李百龄的黑色汽车捣毁，将零件掷入井中，并将破车点火焚烧。一时黑烟滚滚，轰动全城。接着数千男女学生四面游行，一部分去砸教育厅，其余则在大街小巷，向群众宣讲日本对我国的侵略野心与蒋介石南京政府的腐败。

处理多福寿等命案内幕点滴

王　愚

1932年，先父王一山任西安绥靖公署参谋长。这年春天，日本人小泉浩太，美国人艾克佛，瑞典人多福寿结伴在新疆、甘肃、宁夏等地进行间谍活动，绘制军用地图，煽动民族分裂，并携电台一部。他们进入陕西境内时，被杨虎城将军部下查获，而且人赃俱在，杨将军部下激于义愤，报请将其处决。当时杨虎城将军因病在三原东里堡休养，先父为了国家和民族利益，同意了部下的请求。事发后，引起日、美、瑞等国向南京政府的抗议，蒋介石政府立即派要员来陕，虽然明知事情真相，却不敢向列强抗争，并想通过此事撤换他久已不满的杨虎城将军(杨将军当时兼任西安绥靖公署主任)，于是责成陕西当局，必须严办此案。

先父一面将此事详报杨虎城将军，并请杨将军暂缓返回西安，一面与一些高级将领、幕僚商议，几经考虑，一定要把此事同陕西军队的关系分开，否则，危及整个部队的命运。又经过仔

细斟酌,先父决定,以此三人携带金银,路遭抢劫,同时毙命的情由,呈报南京政府。并表示,经多方缉捕,已捕获元凶,遂即将一作恶多端已判死刑的惯匪处决。然后,先父公开声明,在杨虎城将军养病期间,自己负责全省治安,现治理无方,引咎辞职。

这样,既了结了这样一次可能引起国际争端的大案,也使蒋介石政府撤换杨虎城将军的计谋不能得逞,同时也保护了十七路军的将士,可以说一举三得。此后,先父便改任十七路军总参议。

当时很多人不了解真情,以为像先父这样同杨虎城将军共事多年、交谊甚厚的人,怎么会突然辞职。其实,这里隐藏着这一段曲折的经历。先父也是为了顾全大局,不得已而为之的。

焦易堂与三十年代一场女权斗争

金　甦

1936年春夏,南京国民政府立法院公布刑法草案,向全国公民征求修改意见。该法第二三九条条文是“有夫之妇与人通奸,处一年以下有期徒刑,其相奸者亦同”。从表面看似甚公平,奸夫淫妇,将同样受到法律制裁。实则不然。关键在于“有夫之妇”这四个字。有夫之妇如与人通奸,其夫有权提出控告,可是有妇之夫与人通奸,其妻则无权提出控告。是以此条一经出台,南京妇女界立即向立法院法制委员会请求予以修改,这是公民依法行使复决的权利。

当时立法院法制委员会委员长是陕西籍国民党元老焦易堂,他对妇女界的请愿漠然处之。因此,南京妇女界派出代表赴沪,首与上海市妇女协进会负责人金光楣(我的原名)联系,决定分头去平、津、粤各地活动。当时女界知名人士如张晓梅、李德全、吴戴仪、杨志豪、史良等,纷纷响应,支持在南京举行全国妇女代表大会,以行使复决权修改刑法第二三九条为主要议程。开会时,大会执行主席由南京代表陈逸云、上海代表金光楣轮流担任。大会全体代表在通过向正在开会的国民党中央政治会议请愿后,随即行动,结果获得胜利。该条刑法如所请交由立法院法制委员会办理。至此,焦易堂再度成为此次女权斗争成败的关键人物。

焦在接见全体代表时,邓季惺、曹孟君和我先后发言,严正指出该条文显然是庇男抑女。但焦则认为该条文是无可非议的。邓季惺一闻此语,不禁愤然对焦曰:“为何如此固执不化!”我察觉到焦对条文的要害所在仍未彻底搞清,于是直截了当对焦说:“请恕唐突,容我打个比喻,假如您夫人与人通奸,按二三九条有夫之妇与人通奸的规定,您可向法院控告,她与其相奸者,将同被判刑；但如您本人与人通奸，您的夫人便无权对您提出控告，因为该条文只规定有夫之妇与人通奸，其夫才有权对其妻提出控告，可您是有妇之夫，您与人通奸，您的夫人就无法可依对您提出控诉了。这是因为该条文只明定有夫之妇而无有妇之夫的规定呵。关键完全在于有无告诉权上，至于其相奸者亦同，那只是用来遮人耳目而已。”

焦至此，如大梦初觉，以手连连拍着额头，口中念念有词地霍然起身问我：“然则照你意思应如何修改呢？”我说：“只须将有夫之妇改为有配偶者即可。因为配偶二字，其含义是对称的，并无性别之分。”焦频频点头，表示采纳。代表们也就报焦以热烈的赞赏掌声，一场女权斗争，就此胜利结束。翌日全国各地报刊均在头版刊此新闻，犹忆当时上海《时报》刊过这样一副对联：“莫道金屋藏娇易，应思陈仓暗渡难。”横批是：“今非昔比”。

给红军让路

李郁蒸

1936 年 8 月间，东北军骑兵军军长何柱国率骑兵第三、第六、第十师，步兵第一一四师、第一一八师，另配属一个飞机小队(队长符克)在陇东庆阳、平凉、固原、海原一线设防。临时指挥部设在固原(军部驻陕西咸阳)。任务是堵截朱德、贺龙率领的红二、四方面军北上。

这时红军已进入陇西地区渭源一带，同时，先期到达陕北的红一方面军，为了迎接二、四方面军，由彭德怀率领也沿陕甘边区环县、豫旺一线西进，到距离海原(骑六师防线)不远的同心城地区。双方已进入交战状态。

东北军天天有飞机侦察，前线时时有情报，相持十日左右，忽然听说两路红军在海原西北打拉池镇附近胜利会师了!

当时随何柱国驻固原的仅有两名参谋、两名随从副官及秘书处长胡莘秋和我，其余为勤务人员。红军是怎么通过的?此事极端秘密。我们只知道有个神秘的来客访问过何柱国几次。军队纪律，各守其秘。我随何经过“西安事变”、八年抗战，从未谈起这件事，个中秘密，一直保留下来。

抗战胜利后，1945 年 9 月何柱国在重庆参加一次重要宴会后，突然双目失明，赴美求医。1947 年回国，定居杭州养病。此时，我又调到他的身边，一面办理家事，暇时帮他草拟自传。这时，他才说了十一年前给红军让路的原委。他说：“记得有一天，随从副官于哲递给我一封信，说是某县秘书叫朱瑞，要见军长，信是从棉衣里拆出来的，我考虑了一会儿后拆开信，是彭德怀写的。信中略说：红军北上，抗日救国，他已率部到达同心城附近，要我让出海原与同心城之间的通道，接援二、四方面军通过，互不干扰，详情由他们政治部主任朱瑞面谈等语。我看完信后，请朱瑞进来，谈了一些路上情况。初次当然不能谈正题，只能约定适当时间再商谈。临走时，我交待于哲安排朱瑞的住处，保证他的安全，不要告诉任何人。”

何柱国和朱瑞前后密谈了三次。朱瑞谈了共产党和红军北上抗日主张以及红军在陕北和东北军接触后策略的改变，并说决不伤害何的部队，不做过河拆桥的事情。何也问他二、四方面军的情况：由谁率领？人数多少？到达哪里？要走哪条路线？朱都一一说明，和何掌握的情况差不多，接着他们研究确定了红军通过的路线和时间。朱最后要求在何所属的骑兵各师做抗日宣传工作，何答应了。

朱瑞走后，时间紧迫，何柱国来不及请示张学良，立即以极秘密方式告诉驻在海原、同心之间的三营、七营一带的骑六师师长白凤翔，将部队作了正常的调动部署，闪出了一条通道。就这样，红军很快地、悄悄地通过了何的防区。

事后，张学良自驾他的波音飞机来固原，一见面就说：“小何，你好大胆！”何说：“副司令比我胆更大！”两人大笑而罢。

朝邑的一次交农运动

严尚治

朝邑县(今与大荔县合并)地处黄河、渭河、洛河汇合的三角滩地，土地肥沃，是渭北的米粮仓。1942 年，朝邑大旱，庄稼歉收，奸商乘机囤积居奇，粮价飞涨。官府以抗战为名，滥派捐税，名目繁多，缺粮者十居八九，民怨沸腾。

赵渡镇的徐少南，参加过辛亥革命，曾几度任县长，又是书法大家，当时居家养老。他目睹群众揭不开锅的惨状，起而为民请命，向四镇八乡的农民发出鸡毛信传单，号召全县于中秋节向县府交农。此举很快得到响应，声势浩大的交农运动，震动了三秦。

陕西第八区专员公署，将徐少南逮捕，囚于同州(专员公署所在地，今大荔县)。农民闻讯，群情激愤。农民郭三，带领民众，敲锣打鼓，吹着唢呐，赶到专署，自称："发动农民交农的是我郭三，今前来投案！"专员蒋坚忍亲自审问："郭三，既然是你，传单上因何要写徐少南？"郭三哈哈大笑："老爷！郭三是个普通庄稼汉，说话顶个屁，只好大胆借用徐少南的旗号，因他的大名八区妇孺老少皆知，这是出于无奈。我们种一年庄稼，还不够交粮纳税用，做不起庄稼，只好把农具交给政府！这有什么罪？为啥要抓徐先生？"在蒋坚忍的眼里，徐少南卖老自大，对抗官府，顶撞长官，曾上告过省主席邵力子，早就有心想把他收监。没想到却来了个郭三，一时气得涨红了脸，拍着堂案吼叫："把郭三收监！"又连夜审问徐少南。徐昂首回答："我徐少南三字，素不封锁，会写者，谁都可以写，谁都可以冒充，我能奈何！"蒋坚忍无言以对，只好说："先将你无罪释放！"徐少南挥起右臂，厉声回答说："慢！专署侵犯人权，专员得给我登报恢复名誉，赔礼道歉，惩办侵犯人权的主谋者。否则，我徐少南决不出狱！"徐少南遂上告到重庆的监察院。消息传开，士农工商川流不息，涌向专署，探望慰问。

邵力子得知此事，对蒋坚忍说："徐少南有胆有识，是个硬汉子。我设法请监察院的人从中调解。"徐少南提出条件："先释放农民郭三，我才能出狱。"他们出狱这天，专署所在的一条街上，人山人海，徐少南挽着郭三的手，频频向群众点头致谢。

军鞋风波

李　桦

1942年秋风乍起，国民党陕西省党部发起为军队捐献军鞋，给西安商会摊派了一个数目。

紧接着，省党部主任谷正鼎的老婆皮以书控制的省妇女会又给商会摊派了一批。商会无力全部交齐。会长薛道五找到当局提出："政府应统一给商会摊派，几家同时摊派，我们负担不起。"这下像是捅了马蜂窝，省党部发动所控制的《西京日报》、《益世报》、《华北新闻报》、《正报》等同时刊出："妓女都热心捐献，而商会商人反不关心，此诚妓女之不若……"对薛道五和商会大肆攻击。

商人们愤怒极了，各家哗哗把报纸退了。此事很快风传到外县，外县商人也纷起响应，将那几家的报退了。那几家报社因此损失很大，当局也觉得弄巧成拙，派了陕西警备司令和教育厅厅长王捷三出面调停。

他们连连说好话："算了，算了。"要薛道五回去跟商人们说说，今后还要继续订这几家报纸。

一场风波表面上暂告平息。

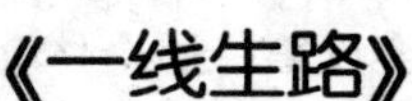

《一线生路》

冀迁运

1942年，河北、山东一带产棉区沦陷于日本侵略者之手，惟有陕西关中泾阳、三原一带所产棉花成为抗战的主要资源。但当时关中棉农缺乏资金，棉花种植面积急剧缩小。国民党财政部为此决定在1943年春，向关中棉农发放四亿元贷款，支持棉花播种。这笔贷款由农民银行西安分行经营，财政部并派国库署稽核员王鸿俊(已故陕西文史研究馆馆员)前来监督发放。当年新棉收获后，农民还清了贷款，且有微薄收入。王鸿俊办完这件事后，在西安青门美术社遇见了国画家赵望云先生，王即向赵先生述说了他来陕办理发放贷款及这次贷款对棉农的好处。赵望云听后很有启发，当即挥毫作了一幅国画。画面上一位关中老太太在纺线，神态安详。画家题此画为《一线生路》，用意含蓄，余味无穷。

共和国第一餐

沙　里

《周恩来传(1898—1949)》是以1949年中国人民政治协商会议第一届全体会议宣告中华人民共和国成立结束的。其最后一页有这样一段记述：

> 大会闭幕后，为了追念一百多年来为新中国的诞生而英勇献身的人民英雄们，全体代表乘车前往天安门广场，举行人民英雄纪念碑奠基典礼。……晚上，在中南海怀仁堂举行盛大宴会，庆祝第一届人民政

协会议的胜利闭幕。

这里在记述上有误。当时我是新政协筹备会的一名工作人员，有幸参加这次会议的全过程和会议闭幕后的共和国第一餐。

第一，人民英雄纪念碑的奠基典礼是在大会进行过程中举行的，而不是在“大会闭幕后”。

1949年9月30日这一天下午，是一届政协的第八次大会。这次大会的议程是：一、选举人民政协全国委员会委员；二、选举中央人民政府主席、副主席和中央人民政府委员会委员；三、通过各项决议，包括大会宣言、致中国人民解放军慰问电和建立人民英雄纪念碑的决议。在投票选举和通过上述决议后，在等待选举结果时，全体代表即到天安门广场举行人民英雄纪念碑奠基典礼。那是下午六时，周恩来同志在碑基前致词，全体代表脱帽向人民英雄致哀，然后毛主席宣读纪念碑碑文。宣读毕，由毛主席和参加政协各单位首席代表依次铲土奠基。奠基典礼后，代表们又回到会场，听取关于中央人民政府的选举结果，接着才是中国人民政治协商会议第一届全体会议的闭幕式。新选出的中央人民政府委员会毛泽东主席和六位副主席在全场再三的热烈鼓掌欢呼声中登上主席台，主持闭幕式。在《义勇军进行曲》的军乐声中，主席台上悬挂起新的国旗，朱德副主席致闭幕词。这时时间已是晚上近九点钟，而人民英雄纪念碑的奠基典礼是在下午六时。故所云“大会闭幕后……举行人民英雄纪念碑奠基典礼”的说法是不确切的。

第二,一届政协大会闭幕后,没有“在中南海怀仁堂举行盛大宴会”。何况,当时的怀仁堂不像现在那样宽敞,也没有举行“盛大宴会”的任何条件。共和国的第一餐,也只是加了几道菜,聚餐而已!

关于这一点,我在为纪念政协四十周年写的一篇回忆文章《共和国在这里诞生》(见《人民政协报》1989年7月21日)中是这样写的,现抄录如下:

> 这时时间已近晚上九点,大家还没有吃饭。全体代表在欢乐中回到北京饭店寓所,共和国的第一餐就是在北京饭店吃的。饭菜很简单,只不过在代表们日常的伙食上加了几道菜,是按照解放区老传统的聚餐,不是宴会,更不是“盛大的宴会”。那时北京饭店虽是旧北平最豪华的一家饭店,和现在的北京饭店比,还是很简陋的。进城以后,北京饭店是划归中央统战部交际处管理的一家招待所,参加政协会议的代表就住在这里。这天晚上,餐厅里热闹非常,毛主席坐在第一桌。就座后,代表们纷纷离座向第一桌走来,向毛主席和几位副主席敬酒,毛主席这晚上也破例,有敬必饮,开怀举杯。席间气氛热烈,大家举着酒杯,争先恐后,把毛主席团团围住。直到齐燕铭同志宣布餐后中央人民政府主席、副主席、委员还要留下开会,才停止了敬酒。夜已阑,兴未尽,在幸福的情思中人们渐渐离去。

少年王建若巧解字谜

王景祥　李逢春

王建若，陕西宝鸡县人。民国初年留学日本，回国后作过国民党元老张群的秘书。小时聪颖，智力过人。上小学时，一年暑假，一个卖文乞丐手提一内装锅煤水的小陶罐，在他家门上写了一首诗。正好他从门里走了出来。卖文人见这孩子长得清秀文雅，衣着体面，就知道是这家主人的掌上明珠，洋学堂的学生，便开口说道："小主人，你好。鄙人为你家题诗一首，内藏大字一个。猜不着，得赏我一顿饭吃，外加大洋一块。"

王建若抬头一看，墙上写的是："一字生得奇，内有四台戏。一台武松打虎，二台祢衡骂曹，三台伍员举鼎，四台杀狗劝妻。"王建若皱起眉头，略加思索，就说："老先生恐是江郎才尽了，怎敢拿一个'捌'字就想换一顿饭吃呢?"卖文老汉大吃一惊，一手抚摸着王的脑门说："我用这个字谜难住了不少念书人，混了几年饭吃。你这小小年纪，一眼就能识破，真是前途无量呀！"

麦加朝觐琐谈

赵明新　彭涤龙

沙特的麦加天房，阿拉伯文称克尔白，是全世界穆斯林也是中国穆斯林向往和尊敬的圣地。去麦加天房朝觐是伊斯兰教的五项基本功课之一，穆斯林都以此为荣，视为一生中的大事。每年希吉来(回)历十、十一、十二月为朝觐月，而十二月的八、九、十三天则为正朝或大朝日期。圣城人山人海，商贾云集，盛况空前，蔚为壮观。其他时间任何人亦可前往顶礼膜拜，称为副朝或小朝。出发前，朝觐者须与亲友进行"口唤"，一一话别，互相祝福；同时以兹证明彼此间一切事务和经济手续，全无纠葛。教规要求：只有没有秽行、没有干过坏事、没有一点罪过的人，才能参加朝觐。至麦加后，首先应到规定地点受戒，旋即巡礼天房，亲吻玄石，继而奔走萨法与麦而卧两山之间，进驻阿尔法特山，宿一夜，下山后又进驻米纳山，射石、宰牲、一人一羊、七人一牛、十人一驼，如财力充裕还可增加。数以万计的羊只，大都是从澳大利亚进口的。

过去，由于路途遥远，海陆交通不便，我国的穆斯林要到麦加朝圣，确是一件很不容易的事。据说，清光绪末，开封有位穆斯林耆老王昭，

骑着毛驴走陕西、青海、新疆，经俄罗斯、伊拉克，顺幼发拉底河谷进抵沙特阿拉伯，千辛万苦，艰难跋涉，往返历时三年，实现了朝觐的夙愿，履行了自己的天命功课。由此亦可想见其人的刚毅虔诚，绝非常人所能及。

回国后，朝觐者在清真寺向穆斯林们汇报朝觐经过，讲述旅途的所见所闻，赠送带回来的经书、念珠、经头、椰枣及其他纪念品。大家共饮最为宝贵的渗渗泉水，同滋共润，分享天祚。

民国八、九年间(1919—1920)刘遇真阿訇在麦加朝觐回国后，曾传布《依赫瓦尼》(伊斯兰教新派)，对西安的穆斯林界至今仍有很大影响。

后　记

《三秦轶事》是《秦中旧事》的姊妹篇。

《三秦轶事》同《秦中旧事》一样，是众多作者智慧的结晶。

本册记述了辛亥风云人物的事迹片断；民国之际的官场百态；社会名流的轶闻趣事；国共合作的点点滴滴；革命志士可歌可泣的斗争史实；历史名胜古迹；三秦地方风情……。

撰写文史笔记，对于存史、资治、教化及社会主义精神文明建设具有积极意义。这项工作得到我馆馆员、全省各有关单位和各界人士的大力支持，热情赐稿，鼎力相助。我们先后收到大量来稿，因《笔记》篇幅有限，只能选用一部分，不少文稿只好割爱。对此，深致歉意。

本书编辑组成员：高元白、张培礼、孔珞、江弘基、高泽、彭涤龙、翁维谦、杨永乾、马骧、吴醒民、徐耿华、祁恒文、冀迁运。另聘请张石秋、刘永端、辛介夫、张静波诸同志参与审稿工作，提供了很多宝贵意见，在此，表示诚挚谢意！

编　者